aiséirí

Alex Hijmans

Cois Life Teoranta, Baile Átha Cliath

Sonraíocht CIP Leabharlann na Breataine. Tá
taifead catalóige i gcomhair an leabhair seo ar fáil ó
Leabharlann na Breataine.

Tá Cois Life buíoch d'Fhoras na Gaeilge agus den
Chomhairle Ealaíon as tacaíocht airgeadais a chur
ar fáil.

An chéad chló 2011 © Alex Hijmans

ISBN 978-1-907494-02-4

Clúdach agus dearadh: Alan Keogh

Clódóirí: Brunswick Press

www.coislife.ie

All romantics meet the same fate some day, cynical and drunk and boring someone in some dark café…

– Joni Mitchell

Do Shíle Ní Chatháin, Réjane McNamara-Léost agus Andrew Bashaw agus dóibh siúd ar fad a d'oibrigh i dteach caife tráth dá saol

Saothar ficsin atá anseo. Tá na carachtair agus na suíomhanna san úrscéal seo – seachas corrthagairt do shuíomhanna poiblí a úsáidtear ar bhealach samhailteach – bunaithe ar shamhlaíocht an údair agus níl aon tagairt do dhaoine beo i gceist. Déantar idirdhealú sa téacs idir: caifé (ionad) agus caife (deoch)

Dhún Rebekka Vogelzang doras an ghailearaí ina diaidh. Ghortaigh grian gheal an mheán lae a súile. Diúltú eile. Bhí bainisteoir an ghailearaí – áitín ghleoite ar shráid chiúin ar bhruach thiar na Coiribe – go deas léi, ach diúltú a bhí ann mar sin féin.

Bhí an chathair ar fad siúlta aici le seachtain, agus fillteán mór cartúis le samplaí dá cuid péinteála agus líníochta faoina hascaill. Bhí grianghraif de na taispeántais a bhí aici san Ísiltír curtha isteach san fhillteán aici freisin, ach ní raibh aon mhaith leis. Bhí leithscéal difriúil ag an uile ghailearaí.

Mheas úinéir gailearaí amháin go raibh a saothar ró-nua-aimseartha. 'Ní dóigh liom go bhfuil margadh i nGaillimh don chineál seo ealaíne,' a dúirt bainisteoir gailearaí eile. Mhaígh an dream sa tríú ceann nach raibh 'fuinneog ama' acu chun taispeántas a eagrú. Bhí siad ar fad go deas múinte, ach b'fhearr le Rebekka go n-inseoidís an fhírinne di, fiú má bhí an fhírinne searbh. Gur chuir a hairde dhá mhéadar, nach mór, agus a gruaig fhada fhionn lena frainse ghéar, fhéinbhearrtha, faitíos orthu. Nach raibh siad sásta a cuid oibre a thógáil toisc go raibh sí fiarshúileach. Cén chaoi a bhféadfadh ealaín ó phéintéir camshúileach a bheith go maith? Ní hea, ní hin a bhí ann. Níor thug duine ar bith 'Rebekka Chamshúil' uirthi ó bhí sí ar an mbunscoil agus ní raibh sí fiarshúileach i ndáiríre, ar aon nós. Ní raibh ann ach go raibh a súil chlé claonta amach oiread na fríde. Ní thabharfadh duine ar bith faoi deara é mura mbeadh an-aird acu uirthi. Ní fhaca sí féin a thuilleadh é, fiú, ach amháin nuair a bhí sí in ísle brí. Mar a bhí anois.

Thrasnaigh sí an tsráid. Bhí sí ag dul thar fóir. Ar ndóigh ní raibh baint ar bith ag a súil le neamhshuim na ngailearaithe. An amhlaidh a bhí an locht ar a cuid ealaíne féin? Ró-gharbh, ró-ghruama, ró-ghránna. Bhí sé ar fad cloiste cheana aici.

'Is fuath leat stíl uirbeach Rebekka Vogelzang nó is aoibhinn leat í,' a scríobh léirmheastóir amháin faoin taispeántas mór a bhí aici i monarcha thréigthe i gceantar na nduganna in Amsterdam, cúpla mí roimh theacht go hÉirinn di. Sraith sceitseanna faoi bhuíon ghraifítí a bhí sa taispeántas. Bhí Rebekka tar éis an bhuíon óganach a leanúint ar feadh bliana, ag déanamh portráidí de na buachaillí fad a bhí siad i mbun oibre, ag clúdach bhallaí na cathrach lena gcuid ealaíne féin. Toisc gur oibrigh na leaids seo faoi rún agus faoi dheifir, i gcoim na hoíche, bhí sí teoranta ó thaobh ábhar ealaíne de, ach chuir na línte garbha gualaigh, na stríoca sciobtha de phéint dhubh agus na smearthaí sprae-phéinte fuinneamh amh ina cuid pictiúr. An líne dheireanach sa léirmheas an ceann ab fhearr a thaitin le Rebekka féin: 'Aimsíonn Vogelzang áilleacht sa rud atá gránna agus ar an gcaoi sin tugann sí dúshlán na sochaí.'

Díoladh go leor de na pictiúir ag an taispeántas sin; bhí na cinn a bhí fágtha in áiléar theach a tuismitheoirí in Lelystad. Ní raibh ach léaráidí de ghual ar pháipéar tugtha léi go Gaillimh aici, ach bhí dhá scór acu ann, dóthain chun taispeántas a eagrú. Mhairfeadh sí ar dhíolacháin an taispeántais sin le linn di gabháil de thionscadal nua, anseo i nGaillimh. Dar léi go raibh cuid de na léaráidí a bhí san fhillteán ar an gcuid ab fhearr den tsraith ar fad, ach bhí sé soiléir, tar éis a camchuairt ar ghailearaithe na cathrach, nach raibh ag éirí lena plean. Go domhain inti féin bhí a fhios aici cérbh í an fhadhb: ní raibh aithne uirthi i nGaillimh. Ní raibh sí sa chiorcal. Bheadh uirthi treabhadh léi, ag siúl na cathrach lena fillteán, ag ithe na cáise agus ag ól an fhíona saor in aisce ag ócáidí oscailte na dtaispeántas, go dtí go gcuirfí spéis inti. Ach san idirlinn, ní fhéadfadh sí maireachtáil ar cháis, craicéirí agus fíon amháin.

Bhí sí cortha den siúl. Bhí a gualainn á gortú ó bheith ag iompar an fhillteáin chiotaigh, nár dhún i gceart a thuilleadh. Mar bharr ar an mí-ádh bhí sí tar éis dul amú. Arís. Chuir camshráideanna na Gaillimhe amú i gcónaí í.

Ní raibh aon chur amach aici ar an gcuid seo den chathair. Bhí cuma bhocht ar an gceantar; an cineál bochtanais a shamhlaigh sí le *The Commitments,* an scannán a mhúscail a suim in Éirinn an chéad lá riamh. Shiúil sí síos sráid chúng dhorcha. *'Ideal Drapery'* a bhí scríofa os cionn fhuinneog shiopa amháin, ach ní raibh rud ar bith idéalach faoin áit, ná ní raibh cuirtín ar bith le feiceáil taobh istigh. Bhí an chuma air go raibh sé dúnta le leathchéad bliain. Thit sí i ngrá leis an siopa tréigthe láithreach bonn. Ba é seo an cineál ábhair a theastaigh uaithi a aimsiú in Éirinn, ach ba chosúil go raibh sí ró-mhall. Bhí an Tíogar Ceilteach in ard a réime agus bhí radharcanna den saghas seo ag éirí fíorghann.

Chas sí ar chlé, isteach i sráid a bhí níos leithne ach chomh liath, gruama céanna. D'fhan sí ina seasamh i lár an bhóthair, ag stánadh ar fhoirgneamh ar chuir a ghránnacht dhána faoi dhraíocht í. Foirgneamh mórthaibhseach a bhí ann, déanta as coincréit lom dhorcha, a chaith scáth fada ar an tsráid. Bhí an chuma air gur tógadh am éigin sa chéad leath den fhichiú haois é. An amhlaidh a bhí an dúil chéanna i rudaí gránna ag an dream a thóg an foirgneamh seo agus a bhí aici féin, nó an é nár thuig siad go mbeadh cuma áiféiseach ar an ailtireacht amaitéarach acu le himeacht ama? Bhí binn bhréige ornáideach curtha ar an bhfoirgneamh acu, cur i gcéill iomlán, iarracht a chur ina luí ar dhaoine go raibh an áit dhá oiread níos airde agus níos tábhachtaí ná mar a bhí sé. Bhí focal aisteach greanta sa choincréit os cionn na fuinneoige: 'AISÉIRÍ'. Litreacha móra gáifeacha, foireann chló a bhí chomh móiréiseach, galamaisíoch leis an mbinn bhréige féin. Bhí an doras ar oscailt. Bhí ceol le cloisteáil agus nuair a tháinig Rebekka níos gaire, thug sí boladh caife faoi deara. An bhféadfadh sé gurbh é 'Aiséirí' an focal Gaeilge ar chaife? Más ea, iontach. Bhí cupán caife ag teastáil uaithi go géar.

Bhí aghaidh an fhoirgnimh lom agus gruama, ach taobh istigh bhí an áit te teolaí. Chruthaigh dath corcardhearg na mballaí atmaisféar baineann, ach bhí rud éigin thar a bheith fireann ag baint leis an inneall *espresso,* gléas mór de chrómchruach snasta a bhí ag sioscadh gaile ar bharr an chuntair. Ba léir go raibh caife den scoth le fáil anseo.

Bhí an áit nach mór _{really} folamh. Bhí fear beag maolchloigneach ina shuí ar cheann de na stólta arda ag an gcuntar, a bhí comhthreomhar leis an mballa ar dheis ar theacht isteach duit. Bhí an fear ag caint le cailín freastail fionn, téagartha, a bhí ina seasamh taobh thiar den chuntar. Shuigh Rebekka ar cheann de na stólta arda a bhain le cuntar eile, a shín fad na fuinneoige ón doras go dtí an balla. Leag sí uaithi an fillteán ar an stól in aice léi, leag a smig ar a rosta agus bhreathnaigh amach ar an tsráid.

Ba chuma léi nár tháinig an freastalaí fad léi láithreach bonn. Ní raibh a fhios aici céard a bhí uaithi. I ndáiríre ba leor suí anseo, foscadh a fháil ón ngrian, a bhí an-tréan do Mheán Fómhair, éisteacht leis an gceol suaimhneach, le caint an fhir agus an fhreastalaí, agus a scíth a ligean. I nGaeilge a bhí an bheirt acu ag caint, nó sin a mheas Rebekka, pé scéal é: bhí cuma ró-Éireannach orthu le bheith ina n-eachtrannaigh, ach níor thuig sí focal dá raibh á rá acu. Scéal greannmhar éigin a bhí ann, rinne an bheirt gáire ard cúpla babhta. Níor thug Rebekka mórán suntais dá gcomhrá. Sa bhaile, san Ísiltír, bhí muintir na Tuirce agus muintir Mharacó i gcónaí ag cabaireacht ina dteangacha féin – níor chuir sé isteach ná amach uirthi nár thuig sí céard a bhí á rá.

Ar an tsráid taobh amuigh ní raibh le feiceáil ach gadhar ina luí i ndoras an tsiopa grósaera díreach trasna ón gcaifé. Bhí a theanga amuigh aige. Chuir an tsráid fholamh an comhrá fóin a bhí aici le Machteld an oíche roimhe i gcuimhne di.

'A stór, ní féidir leat a bheith ag súil go n-éireoidh leat thar oíche. Cuirfidh tú aithne ar na daoine cearta in am trátha. Samhlaigh go dtiocfadh ealaíontóir óg Éireannach chun cónaithe san Ísiltír. Thógfadh sé na míonna air ainm a chruthú dó féin. Blianta, b'fhéidir.'

'Ach cén chaoi a n-íocfaidh mé an cíos idir an dá linn?'

'Tóg go réidh é. Bíonn gach tús deacair. Gabh i leith, Rebekka, caithfidh mé imeacht anois. Tá Arjen anseo. Táimid ag dul chuig *Ocean's Eleven* le George Clooney!'

Bhí Machteld ag siúl amach le Arjen ón gcéad bhliain sa choláiste. Uaireanta bhí Rebekka in éad lena cara as an gcaidreamh socair sin. Ansin tháinig Charles isteach ina haigne, den chéad uair ó tháinig sí go hÉirinn. B'aisteach an chaoi nár chuir críoch a gcaidrimh as di a thuilleadh. Bhuel, ar a laghad bhí ag éirí leis an gcuid sin den phlean. Níor theastaigh anois ach gailearaí a bhí sásta a cuid ealaíne a thaispeáint.

'Céard ba mhaith leat?'

Bhain glór an chailín freastail geit aisti.

'Ó, tá brón orm. Níor bhreathnaigh mé ar an mbiachlár fiú amháin. Caife. Caife bán, is dócha. Tá caiféin uaim. Táim ag brionglóidí anseo.'

'Bíodh caife bán dúbailte agat, mar sin,' a dúirt an freastalaí. 'An caife atá dúbailte ann, ar ndóigh, ní an bainne.'

'Go breá, tabhair ceann acu sin dom.'

Thóg sé ar a laghad cúig nóiméad eile ar an bhfreastalaí an caife a dhéanamh, bhí an scéal a bhí á insint ag an bhfear ag an gcuntar chomh greannmhar sin. Nuair a tháinig an caife bán sa deireadh, bhí mantóg bheag i mbéal na gloine, ach bhí drogall ar Rebekka é a chur ar ais. Bhí cuma álainn ar an gcaife féin, banda leathan donn dorcha ar snámh ar chúr bán an bhainne.

Tar éis tamaill, d'imigh an fear beag maol. Ag an am céanna
tháinig fear caol, tanaí isteach. Ba ghiorraisc a bheannaigh siad dá
chéile ag an doras, mar a bheadh beirt ann a bhí ag maireachtáil ar
scáth a chéile ina n-ainneoin féin. Bhí cuma strusáilte ar an bhfear
caol, a raibh gruaig ghearr liath air ach nach bhféadfadh a bheith
os cionn an dá scór. Bhí seaicéad leathair á chaitheamh aige anuas
ar T-léine theann dhearg. Bhí spéaclóirí gréine móra dubha air.
Chuaigh an fear isteach taobh thiar den chuntar, chroch na
spéaclóirí ar bhaitheas a chinn agus chrom sé ar chaife a dhéanamh
dó féin. Ní fhéadfadh sé ach gurbh é seo an t-úinéir. Bhí sé ag
labhairt leis an bhfreastalaí fad a bhí sé ag oibriú an innill *espresso*.
Níor thuig Rebekka focal den chomhrá, ach bhí a gcaint teasaí go
leor. D'ardaigh an freastalaí a guaillí, chroch an fear a lámha san
aer. Chaith sé an t-*espresso* a bhí déanta aige siar d'aon iarraidh
amháin. Stróic sé leathanach as leabhar nótaí agus thosaigh ag
scríobh go feargach, le marcóir dubh a raibh drochdhíoscán as.
Thuig Rebekka go raibh sí ag stánadh ar an bhfear nuair a chonaic
sí an freastalaí ag stánadh uirthi féin. Thiontaigh sí i dtreo na
fuinneoige de gheit. Taobh thiar di, bhí téip ghreamaitheach á
stróiceadh ón rolla go torannach. Cúpla soicind ina dhiaidh sin
bhí an fear lena taobh.

'Gabh mo leithscéal,' a dúirt sé.

Bhog Rebekka de leataobh rud beag agus chroch an fear an
leathanach bán san fhuinneog.

'Slán,' a dúirt an fear leis an bhfreastalaí, agus d'fhág an caifé, an
deifir chéanna amach air is a bhí nuair a tháinig sé isteach.

Ar ndóigh, bhí an scríbhneoireacht ar an leathanach bán san
fhuinneog droim ar ais. Ach le gile an lae taobh amuigh bhí
Rebekka in ann í a léamh go héasca. An chuid sin den teachtaireacht
a bhí i mBéarla, pé scéal é.

'Experienced staff required urgently. A working knowledge of Irish would be an advantage.'

B'fhéidir gurb é sin an réiteach, a shíl Rebekka. Gnáthphost.

Rug sí ar an spúnóg agus mheasc an donn leis an mbán sa ghloine ard. Gnáthphost. Bhí súil aici nach dtiocfadh sé chuige sin. Ní hé nach raibh meas aici ar ghnáthobair – bhí gach uile shórt oibre déanta aici nuair a bhí sí ag fás aníos, ó obair feirme go cúram madraí – ach bhí geallúint tugtha aici di féin nuair a d'fhág sí an Ísiltír gur ar a cuid ealaíne, agus ar a cuid ealaíne amháin, a mhairfeadh sí feasta. Ach anois, gan fágtha ina cuntas ach an cíos don chéad mhí eile, bhí an chuma ar an scéal nach raibh aon dul as. Ní raibh taithí aici ar inneall *espresso*, ná ní raibh Gaeilge aici ach an oiread. Ach bhí bealach aici le daoine, a deirtí léi i gcónaí. Chuaigh sí fad leis an gcuntar.

'Gabh mo leithscéal, an fógra sin san fhuinneog....Tá sibh ag earcú foirne, an bhfuil?'

Mhothaigh sí súile an chailín freastail á scrúdú.

'Tá.'

'Agus cén chaoi ar féidir le daoine cur isteach ar an bpost?'

'Is féidir leat do CV a fhágáil anseo ag an gcuntar.'

Mheabhraigh an cailín Machteld do Rebekka. Rud beag níos giorra agus rud beag níos troime, b'fhéidir, ach mhothaigh sí an t-ionracas céanna inti is a mhothaigh sí sa chara ab fhearr sa bhaile aici.

'Gabh mo leithscéal... An bhféadfainn ceist a chur ort? Meastú an bhfuil seans dá laghad agamsa post a fháil anseo? Níl Gaeilge agam.'

'An bhfuil taithí agat ar obair i gcaifé?'

'Níl. Ach d'oibrigh mé i gcéad agus a haon phost cheana féin agus tá mé sciobtha ag foghlaim.'

'Cogar, déarfaidh mé seo leat. Tá an cailín a bhí ceaptha a bheith ag obair liomsa tráthnóna tar éis siúl amach orainn. Fág CV isteach chomh luath agus is féidir, mar tá an t-úinéir ag iarraidh an post a líonadh láithreach.'

'Tuigim. Go raibh maith agat.'

Chuaigh sí ar ais chuig an bhfuinneog agus bhain peann agus bileog pháipéir amach as a fillteán.

'Curriculum Vitae,' a scríobh sí ag an mbarr, i litreacha a bhí cothrom ach ealaíonta.

'Ainm: Rebekka Vogelzang'

'Dáta breithe: 18 Feabhra 1975.'

'Náisiúnacht: Ísiltíreach.'

'Oideachas: Céad, Dara agus Tríú Leibhéal. Céim bainte amach in Acadamh Ealaíne Rietveld in Amsterdam in Earrach 2001.'

'Taithí:'

Céard a d'fhéadfadh sí a chur síos anseo a bhain le hábhar? Gur chaith sí samhradh ag stoitheadh asparagais as cré mhéith Limburg i ndeisceart na tíre nuair a bhí sí sé bliana déag d'aois; nár íocadh an t-íosphá féin léi ach gur thit sí i ngrá den chéad uair ina saol le buachaill as an mbaile ina raibh sí ag obair agus gur chúitigh an méid sin an drochthuarastal léi? Go raibh sí ag obair mar ghlantóir oifige i rith an lae agus i seomra na gcótaí i gclub damhsa san oíche an chéad bhliain a bhog sí go hAmsterdam – bliain a bhí beartaithe aici a thógáil saor idir an mheánscoil agus an Acadamh Ealaíne chun aithne a chur ar an gcathair, ach nach bhfaca sí ach salachar, dusta agus cótaí? Nó an tréimhse a chaith sí ag obair ag stáisiún peitril ar cheann de na mótarbhealaí amach as an gcathair, ag cur suas le tiománaithe leoraí a bhíodh ag baint lán a súl aisti ar feadh an lae? Nó an ndéanfadh an post deireanach a bhí aici – madraí a thabhairt ag siúl, ar ais in Lelystad – cúis? Bhreathnaigh sí amach an fhuinneog ar feadh tamaill fhada. Ansin leag sí a peann síos ar an bpáipéar arís.

'Taithí: Níl aon taithí agam ar obair i gcaifé. Ach tá trí bhua agam: is duine ionraic mé, tá mé sciobtha ag foghlaim, agus is féidir brath orm.'

Shínigh sí an CV agus chuir sí sonraí teagmhála ag an mbun. Bhí sí breá sásta leis an iarracht. Iarracht dhána, gan dabht, ach cá bhfios nach n-oibreodh sé. Chríochnaigh sí an caife bán agus thug sí an CV fad leis an gcuntar, áit a raibh iris á léamh ag an bhfreastalaí. Níor tháinig oiread agus duine amháin isteach sa chaifé ón uair a d'fhág an t-úinéir, níos mó ná leathuair an chloig roimhe sin.

'Seo mo CV.'

D'ardaigh an freastalaí a súile ón alt a bhí á léamh aici.

'Cad is féidir liom a rá… Tá tú sciobtha!'

Rinne Rebekka gáire.

'Cogar, tá post de dhíth orm go mór. Mar a fheiceann tú, ní CV ró-iontach é seo, ach seans go labhrófása ar mo shon? Tá brón orm, tá mé ag iarraidh gar ort agus níl d'ainm ar eolas agam fiú amháin.'

'Aisling,' a dúirt an freastalaí.

'Haidhe Aisling. Is mise Rebekka. Tá sé an-deas aithne a chur ort.'

'Deas aithne a chur ortsa freisin.'

—

Ar theacht abhaile di shuigh Rebekka síos ar an gcéibh os comhair an tí ar feadh tamaill sula ndeachaigh sí isteach. Bhreathnaigh sí ar na healaí bána a bhí ar snámh ar an gCoirib agus ar spéir órga an ardtráthnóna os cionn tithe liatha an Chladaigh ar an mbruach thall. Gan dabht, bhí sí ina cónaí i gceann de na háiteanna ab áille sa chathair ar fad. Ach an teach féin, b'in scéal eile.

Seanteach ársa trí stór a bhí ann, ar bhruach na habhann, níos lú ná nóiméad siúil ón bPóirse Caoch. Go háirithe agus tú ag breathnú air ón mbruach eile, bhí cuma mhealltach, sheanaimseartha air: clocha garbha liatha agus dhá shimléir arda ag an dá bhinn. Bhí léaráid déanta den teach aici cheana féin, le gualach líníochta. Ach ba chosúla le hiarsma ón stair ná teach cónaithe é. Bhí slinnte ar iarraidh ón díon, bhí féar agus lusanna timpeall na simléirí agus – ba é seo an rud ab fhearr ar fad léi – bhí crann caorthainn ag fás as balla thuaidh an tí.

Taobh istigh, bhí cúrsaí níos measa. Bhí ceann de na céimeanna adhmaid ar iarraidh ón staighre agus uair ar bith ar sheas Rebekka ar na cinn eile bhí faitíos uirthi go mbrisfidís. Bhí cairpéad ar na hurláir a bhí dearg tráth den saol, ach bhí salachar na mblianta anois air. Bhí páipéar balla a raibh rósanna dearga priondáilte air fós i gcuid de na seomraí, ach bhí sé stróicthe ar go leor de na ballaí. In áiteanna, bhí an plástar féin tar éis titim agus bhí clocha garbha le feiceáil. Bhí a raibh de throscán sa teach caite, bhí meirg ar an oigheann agus níorbh fhéidir doras an chuisneora a dhúnadh i gceart. Anuas ar na rudaí seo ar fad, bhíodh nuachtáin, irisí agus leabhair caite thart ar fud an tí, bhíodh éadaí á dtriomú sa chistin agus sa seomra suí agus carn de mhálaí lán bruscair ag an doras cúil ag fanacht ar dhuine éigin lena dtabhairt amach. Ach céard eile a mbeifeá ag súil leis i dteach a bhí á roinnt ag naonúr ealaíontóirí eachtrannacha, gach duine acu ar thóir rud éigin nach raibh sé in ann a aimsiú ina thír dhúchais? Cáil na n-ealaíon agus an tsaoil bhoig a mheall go Gaillimh iad, ní fonn glantacháin. Rebekka ba dhéanaí a bhog isteach sa teach.

In ainneoin drochbhail a bheith ar an áit, thaitin an teach go mór léi. Bhí sé go hiomlán éagsúil ón teach inar fhás sí féin aníos, teach dhá stór brící donna i sraith tithe díreach ar aon dul le chéile, in Lelystad, an poll portaigh is mó san Ísiltír.

An rud ba mhó a chuir isteach ar Rebekka faoina cathair dhúchais ná gur deis chaillte a bhí san áit. Príomhchathair Flevoland, an contae úd a cruthaíodh as an nua ar thalamh a saothraíodh ón bhfarraige, ba ea Lelystad. Bhí an áit ar fad cúig mhéadar faoi leibhéal na mara. Ní raibh rud ar bith ann ach cré fhliuch nuair a tosaíodh ar thógáil na bhfeirmeacha, na mbailte agus na gcathracha; dúshlán inchurtha le míle míle canbhás bán do phéintéir. Ach níorbh ealaíontóirí iad an dream a líon isteach talamh bán Flevoland. Pleanálaithe agus innealtóirí gan samhlaíocht, agus iad ró-thugtha do chruthanna cearnógacha, a mhúnlaigh fód dúchais Rebekka.

Bhí an taoide ag dul amach; bhí uisce na Coiribe ag ísliú. B'aoibhinn le Rebekka díoscán shlabhraí na mbád a bhí ceangailte leis na mullaird ar an gcéibh. B'aoibhinn léi boladh na feamainne ag lobhadh, fiú amháin. D'imigh an ghrian i bhfolach agus las solas teolaí taobh thiar d'fhuinneoga beaga gleoite thithe an Chladaigh. Cén chaoi a bhféadfadh ceann faoi a bheith ar dhuine a raibh radharc den chineál seo amach os comhair a thí, a raibh na céadta ealaí mar chomhluadar aici taobh amuigh agus ochtar ealaíontóirí óga, ceannródaíocha taobh istigh? Rug sí ar a fhillteán agus d'éirigh.

Nuair a tháinig sí isteach bhí Dorothea agus Péter ag scríobh ag bord na cistine. Bhí muga tae dubh in aice le ríomhaire glúine Dorothea. Bhí cuma fhuar air. Bhí buidéal Jacob's Creek agus gloine in aice le leabhar nótaí Péter. Bhí an buidéal agus an ghloine leathfholamh.

D'fhág Rebekka a fillteán in aice an dorais agus shuigh síos ag an mbord. Bhreathnaigh Dorothea aníos óna méarchlár.

'Cén chaoi ar éirigh leat inniu a leana?'

Scríbhneoir Gearmánach ba ea Dorothea, bean mhór ghroí sna daichidí a raibh a pearsantacht chomh casta lena cuid gruaige rua agus a raibh úrscéal gan deireadh á scríobh aici faoi theaghlach feirmeoirí bochta ar theorainn na Danmhairge agus na Gearmáine idir an dá chogadh. Bhí scéal tragóideach an teaghlaigh de ghlanmheabhair ag Rebekka.

'An gá duit ceist a chur?' a dúirt Péter, sula raibh an deis ag Rebekka féin freagra a thabhairt. File ón Ungáir ba ea Péter agus bhí cion ag Rebekka air in ainneoin géire a theanga.

'Bíodh cupán tae agat, a leana.' D'éirigh Dorothea agus chuir an citeal ar siúl.

Dhoirt Péter steall eile fíona ina ghloine.

'An rud nach dtuigim,' a dúirt sé, 'Ná cén fáth ar fhág tú an Ísiltír an chéad lá riamh. Tá saol éasca ag ár leithéidí sa tír sin, lena bhfuil á chaitheamh ag an rialtas agaibhse ar na healaíona. Ní hamháin sin ach tá Amsterdam ar cheann de lárionaid na hEorpa ó thaobh na n-ealaíon físiúil de. Cá mhéad pictiúr a dúirt tú a dhíol tú ag an taispeántas deireanach sin?'

'Sé cinn déag.'

'Sin agat é. Cén fáth ar fhág tú áit mar sin i do dhiaidh ar mhaithe le baile faoi shuan ar imeall na hEorpa?'

Thug Rebekka an míniú céanna dó is a thug sí dá muintir is dá cairde roimh imeacht di.

'Creidimse gurb é ról na healaíne réabhlóid a chothú. Ach tá gach rud eagraithe chomh maith sin againn san Ísiltír nach bhfuil tabú ar bith fágtha, níl cath ar bith le troid. Tá an Ísiltír ullamh, críochnaithe, réidh, agus tá mise réidh leis an Ísiltír.'

Lig Péter liú gáire as.

'Réabhlóid. Agus cén teachtaireacht réabhlóideach atá agat do mhuintir na hÉireann, a thaisce?'

Bhreathnaigh Rebekka ar an bhfillteán in aice leis an doras amhail is go raibh an freagra le haimsiú ansin. Níl a fhios agam, a smaoinigh sí di féin. Sin an fáth a bhfuilim anseo. Ach cén cineál freagra a bhí ansin? Sa deireadh chroith sí a guaillí. Dhoirt Péter a raibh fágtha den fhíon sa bhuidéal isteach ina ghloine agus chaith siar in aon iarraidh amháin é.

'Agus fiú dá mbeadh teachtaireacht fhiúntach agat, an gceapann tú i ndáiríre go bhfuil tionchar ar bith ag ealaín ar an bpobal sa lá atá inniu ann? Ní fheicimse aon scuainí móra ag na siopaí leabhar, gan trácht ar na hiarsmalanna agus na gailearaithe. Tá gach duine ag breathnú ar Sky Sports. D'fhoghlaim mise an ceacht seo i bhfad ó shin. Dom féin, agus dom féin amháin, a scríobhaim.' D'éirigh sé agus chuaigh fad leis an staighre. 'Tá mé chun luí síos ar feadh tamaill. Dúisigh mé nuair a thosaíonn an réabhlóid.'

Chuir Dorothea muga tae ar an mbord os comhair Rebekka.

'Seo duit a leana. Ná lig dó siúd cur isteach ort. Bhí buidéal iomlán faoin bhfiacail aige roimh an gceann seo.'

Rinne Rebekka miongháire brónach.

'B'fhéidir go bhfuil an ceart aige.'

Ansin bhuail a guthán póca.

'Haidhe. Seo Aisling.'

'Aisling?'

'Ó chaifé Aiséirí. D'fhág tú isteach CV againn tráthnóna.'

Thosaigh a croí ag preabadh go tréan.

'Tá na hagallaimh ar siúl anocht féin. D'iarr an t-úinéir orm glaoch ort chun cuireadh a thabhairt duit agallamh a dhéanamh.'

'Ó, tá sé sin ar fheabhas! Cén t-am anocht?'

'An féidir leat a bheith anseo i gceann uair an chloig? Anois, ní mór dom a rá go bhfuil cuireadh tugtha do sheisear ar fad agallamh a dhéanamh.'

'Fadhb ar bith, beidh mé ann!'

Nuair a d'oscail sí doras Aiséirí ar bhuille a naoi a chlog, bhí gach cathaoir agus gach stól san áit tógtha. Bhí daoine ina seasamh ag ól caife. Rinne sí a bealach anonn chuig an gcuntar, áit a raibh beirt fhear nach bhfaca sí cheana, ag obair. Ba léir go raibh Aisling imithe abhaile. Bhí duine de na fir ag freastal ar shlua turasóirí ag scipéad an airgid agus bhí an fear eile ag an inneall *espresso*. Bhí hata dubh agus T-léine theann bhándearg ar an bhfear seo. Os cionn ghleo na gcustaiméirí agus an cheol ard dioscó, chuir sí í féin in aithne dó.

'Tá na hagallaimh ar siúl sa chúinne sin thall.' Shín an leaid a lámh i dtreo na fuinneoige. 'Ach tá Naoise gafa leis an iarrthóir deireanach fós. Féadfaidh tú fanacht anseo go fóillín.'

Bhí rud beag iontais ar Rebekka gur thagair an freastalaí seo dá fhostóir ar bhealach chomh neamhfhoirmeálta sin, amhail is gur dhlúthchairde iad. Bhreathnaigh sí timpeall. Bhí an t-úinéir ina shuí ar stól ard ag cuntar na fuinneoige. Bhí an seaicéad leathair céanna á chaitheamh aige is a bhí air níos luaithe, nuair a chonaic sí é ag crochadh an fhógra faoin bpost. Bhí sé ag cur agallaimh ar bhean óg théagartha le súgán gruaige agus gúna fada corcra agus a haghaidh lán miotail. Fánaí ón Astráil, gan dabht. Shílfeá ó aghaidh an úinéara agus ó ghluaiseachtaí a lámh go raibh sé ag iarraidh rud éigin a mhíniú di ach go raibh fuar aige.

B'ait le Rebekka go raibh an caifé chomh lán is a bhí. Bhí an áit chomh ciúin leis an reilig níos luaithe. Mar sin féin ba chosúil go raibh gach rud faoi smacht ag an mbeirt fhreastalaí. Bhí fear an hata dhuibh ag réiteach *cappuccinos*, gloiní caife bán agus gloiní seacláide te, ceann i ndiaidh a chéile, gan a shúile a bhaint den obair. Chonaic sí go raibh sé ag obair le rithim an cheoil. Bhí an freastalaí eile chomh réidh, stuama le rud ar bith. Bhí an fear seo rud beag níos sine. Seans go raibh bliain nó dhó le cois an tríocha bliain aige. Bhí gruaig fhionn air a bhí bearrtha go han-ghearr agus bhí T-léine chorcardhearg de chuid Aiséirí á caitheamh aige. Thaitin lógó na háite go mór léi: cupán caife a raibh gal ag éirí aníos as ina línte cama, ciorclacha, casta. Bhí an focal 'Aiséirí' scríofa sa ghal. Bhí réiltín ar bholg an chupáin a thagair, a mhothaigh sí, do réabhlóid rúndiamhrach éigin.

Chuir fear an hata dhuibh a lámh ar a gualainn.

'Tá sé siúd thall réidh duit.'

Chonaic Rebekka an t-úinéir ina shuí ag an bhfuinneog, ag breathnú uirthi. Bhí bean na gruaige súgánaí ag imeacht an doras amach.

Shocraigh sí í féin ar stól ard le cois stól an úinéara. Bhí an T-léine theann, dhearg chéanna á caitheamh aige faoin seaicéad leathair.

'Haidhe. Is mise Naoise. Naoise Mac Giolla Easpaig.' Shín sé amach a lámh.

Chuir Rebekka í féin in aithne dó.

'Vogelzang. Céard a chiallaíonn an t-ainm sin?'

'Canadh na n-éan.'

'Nach álainn an t-ainm é sin? Cogar, thaitin do CV liom. Bhí sé breá gearr.' D'ardaigh an t-úinéir an leathanach a bhí tugtha d'Aisling aici níos luaithe an lá sin. 'Tá misneach agat, pé scéal é.'

Rinne Rebekka miongháire múinte.

'Níl orm a mhíniú duit mar sin nach bhfuil taithí agam ar obair chaifé. Níl Gaeilge agam ach an oiread, ach táim sásta í a fhoghlaim. Is maith liom teangacha. Labhraím Béarla, Fraincis, Gearmáinis agus Ollainnis cheana féin. Ní dhéanfaidh ceann eile aon dochar.'

D'ardaigh Naoise malaí na súl.

'Molaim do dhúthracht, ach níl sa Ghaeilge ach cuid den phost. Obair an chaifé féin an ghné is tábhachtaí. Glacaim leis nár oibrigh tú le hinneall *espresso* riamh, mar sin. Céard faoi chócaireacht? An bhfuil aon mhaith leat sa chistin?'

'Tá mé in ann ubh a fhriochadh.'

Bhí fonn uirthi cic a thabhairt di féin. Cén fáth a raibh uirthi an chéad rud a rith léi a rá os ard i gcónaí? Ach sula raibh úinéir an chaifé in ann freagra a thabhairt nó ceist eile a chur tháinig fear ramhar anall chuige. Bhris sé isteach ar an agallamh gan aon aird a thabhairt ar Rebekka. Bhí sé ag lorg síntiúis chun urraíocht a dhéanamh ar dhuais i gcomórtas éigin sacar sráide.

Chuaigh an comhrá idir an bheirt fhear ar aghaidh ar feadh tamaill. Thug sé seo deis do Rebekka staidéar ní ba ghrinne a dhéanamh ar úinéir Aiséirí. D'aithneofá ar an toirt gur duine aerach a bhí ann. Ní hé go raibh banúlacht ag baint leis ach bhí rud éigin séimh, beagnach leithscéalach ag baint leis.

Chuir úinéir an chaifé a lámh i bpóca cúil a bhristí agus tharraing sparán leathair amach. Ní raibh istigh ann ach nóta amháin caoga punt. Thóg sé amach é agus thug d'fhear an tsacair é.

Ag an bpointe sin, thuig Rebekka an lúb a bhí ar lár i bpearsantacht Naoise Mhic Ghiolla Easpaig. Thuig sí gurbh fhear é úinéir Aiséirí ar theastaigh uaidh an uile dhuine a shásamh an t-am ar fad. Gan dabht, b'iarsma as a óige é seo. Bhí a fhios ag Rebekka go raibh homaighnéasachas i gcoinne an dlí in Éirinn go dtí 1990; bhí an chuma ar Naoise go raibh sé i lár na bhfichidí faoin tráth sin. Bhí an boc ón gcomórtas sacair cosúil le duine a dhéanadh bulaíocht ar bhuachaillí eile i gclós na scoile nuair a bhí sé óg.

'Tá brón orm faoi sin,' a dúirt Naoise nuair a d'imigh an fear ramhar. 'B'in é Eddy Tehan, ón siopa crua-earraí. Tá sé ina chathaoirleach ar chumann gnó na sráide.'

'Déarfainn gur freagracht mhór é, teach caife a rith,' a dúirt Rebekka. Bhí a fhios aici go maith nárbh ise ba cheart a bheith ag cur na gceisteanna, ach bhí praiseach déanta aici den agallamh go dtí seo. B'fhéidir nach raibh gach rud caillte fós dá bhfaighfeadh sí deis a pearsantacht a léiriú.

'Ní post éasca é,' a dúirt Naoise. Bhain sé súmóg as an muga caife a bhí os a chomhair. Chuir sé strainc air féin.

'Tá sé seo fuar.' D'ardaigh sé an muga go hard san aer mar chomhartha d'fhear an hata dhuibh. 'Ar mhaith leatsa ceann?' a d'fhiafraigh sé de Rebekka.

Thapaigh sí an deis.

'Ba bhreá liom ceann.'

'Iontach,' a dúirt Naoise. 'Is fuath liom a bheith ag ól liom féin.'

Phléasc sé ag gáire faoina ghreann féin. Thug sé comhartha don fhear ag an inneall *espresso* dhá mhuga caife a dhéanamh in ionad ceann amháin.

'An bhfuil an caifé seo i bhfad agat?' a d'fhiafraigh Rebekka.

'Bliain, ach mothaíonn sé cosúil le céad.'

'Ach is léir go bhfuil ag éirí go maith leis. Tá an áit lán go béal. Cén fáth ar shocraigh tú caifé a oscailt?'

'Theastaigh uaim rud éigin a dhéanamh don Ghaeilge. Áit lárnach a thabhairt di i saol sóisialta na cathrach. Í a tharraingt isteach sa nua-aois, más maith leat. Chaith mé deich mbliana thall i Nua-Eabhrac, an bhfuil a fhios agat? Ag obair i dtithe caife den chineál seo an chuid is mó den am. Chonaic mé an chaoi ar chothaigh gach ceann acu a phobal féin. Theastaigh uaim sin a dhéanamh anseo, i nGaillimh. I nGaeilge.'

Chuir fear an hata dhuibh dhá mhuga caife te os a gcomhair.

'Go raibh maith agat, Rory.'

'As Gaillimh thú, an ea?' a d'fhiafraigh Rebekka de Naoise nuair a d'imigh an freastalaí.

'Ní hea, as Contae Liatroma. Nó Dún na nGall. Tá teach mo mhuintire díreach ar an teorainn idir an dá chontae.'

'Tá cuma álainn air sin.'

'A thaisce, níl a fhios agat a leath. D'fhás mé aníos i measc feirmeoirí cúngaigeanta, iascairí pisreogacha agus turasóirí trodacha ón Tuaisceart. Tháinig feabhas beag ar an áit nuair a fuair lucht na surfála amach faoi na tonnta arda ach bhí mise i Nua-Eabhrac faoin am sin.'

'Tuigim.'

'Ní thuigfidh tú go brách, ach is cuma. Cogar, bheadh sé chomh maith agam an post seo a thairiscint duit.'

Ba bheag nár thacht Rebekka ar a caife.

'An bhfuil tú i ndáiríre? Shíl mé go ndearna mé praiseach den agallamh.'

'Rinne, ach is tú an duine deireanach atá ag déanamh agallaimh inniu agus níorbh fhiú cac an diabhail iad an cúigear eile. Scoth na taithí ag roinnt acu ach níor thaitin a bpearsantacht liom. Dar liomsa gurb é sin an bua is tábhachtaí a d'fhéadfadh a bheith ag oibrí caifé: pearsantacht tharraingteach. Is féidir gach rud eile a fhoghlaim. Faoi cheann coicíse beidh tú chomh cleachtaithe ar an obair is atá an bheirt sin thall. An bhfuil an post uait?'

'An bhfuil sé uaim? Seo an rud is fearr a d'fhéadfadh tarlú dom!'

'Iontach. Beidh tú ag tosú amárach.'

2

An freastalaí leis an ngruaig ghearr fhionn, an fear stuama, a bhí roimpi nuair a tháinig sí isteach an mhaidin dár gcionn.

'Haidhe,' a dúirt sé. 'Ba cheart dom mé féin a chur in aithne i gceart duit is dócha ós rud é go mbeidh tú ag obair linn. Mise Éamonn. Cogar, ghlaoigh Naoise á rá go bhfuil rud beag moille air. Suigh síos áit éigin agus déanfaidh mé cupán caife duit.'

'Ní gá,' a dúirt Rebekka.

Leath a shúile ar Éamonn.

'Is gá.'

Shín sé a mhéar i dtreo na bearna idir an cuntar agus balla na cistine, slí méadar ar leithead.

'Ón uair a thrasnaíonn tú an líne seo ní bheidh an blas céanna ar chupán caife go deo arís, san áit seo ná in áit ar bith eile ar domhan.'

'Céard é féin?'

'Glac uaimse é. Tá tú ag ceapadh gur áit rómánsúil atá sa chaifé seo, nach bhfuil? Vásanna beaga le bláthanna fiáine ar na boird, scríbhneoirí ag scríobh a gcuid úrscéalta agus daoine áille ag titim i ngrá os cionn *cappuccinos*. Ní mar sin atá an scéal.'

Tháinig Aisling amach as an gcistin, naprún gorm uirthi agus taosrán éigin smeartha ar a lámha.

'Tá an ceart aige.'

'Beidh caife bán agam, mar sin,' a d'fhreagair Rebekka.

Thóg sí an caife ó Éamonn. Bhreathnaigh sí timpeall uirthi féin. In ainneoin rabhadh Éamoinn mheas sí go raibh an rogha cheart déanta aici post a lorg anseo. Mhothaigh sí sa bhaile. Bhí leabhar ar veigeatóireachas á léamh ag fear le gruaig fhada shúgánach agus fáinní móra ina chluasa ag ceann de na boird. Bhí cailín álainn a raibh a gruaig fhionn ceangailte ina trilseáin ghearra aici i mbun léaráide ar phíosa páipéir. Bhí an cailín chomh dírithe ar a cuid ealaíne go raibh barr a teanga ag gobadh amach as a béal.

Ní raibh ach súimín dá caife bán ólta aici nuair a mhothaigh Rebekka lámh Naoise ar a gualainn. Lean sí é go dtí an taobh eile den chuntar, trasna na líne. Bhí an ceart ag Éamonn. Ón taobh seo, bhí cuma iomlán difriúil ar an áit. Ach sula raibh an t-am aici dul i dtaithí ar an bpeirspictíocht nua thosaigh Naoise ag míniú míle rud di faoin inneall *espresso*.

Ní raibh mórán custaiméirí ann, ach thóg sé an oiread sin ama uirthi a gcuid deochanna a dhéanamh gur éirigh sí neirbhíseach. Bhí náire uirthi nuair a bhí ar Naoise teacht i gcabhair uirthi agus deochanna a dhéanamh do thriúr custaiméirí a raibh deifir orthu. Chuaigh cúrsaí in olcas nuair a thug custaiméir eile, an fear beag maolchloigneach úd a bhí istigh an tráthnóna ar chuir sí a CV le chéile ag an bhfuinneog, a *cappucino* ar ais. Chuir sé an cupán síos ar an gcuntar leis an oiread fórsa gur doirteadh cuid mhór den chaife.

'Tá tú díreach tosaithe anseo, is léir?'

'Tá…'

'Tá a fhios ag gach uile dhuine anseo nach maith liomsa púdar seacláide ar mo *chappuccino*. Déan ceann eile dom agus ná dearmad é sin arís.'

Chas an fear ar a shála agus chuaigh ar ais chuig an mbord, ag tabhairt amach os ard i nGaeilge. Sheas Naoise in aice le Rebekka agus labhair ina cluas de chogar.

'Sin é Mártan Mussolini, duine de na custaiméirí is fearr atá againn. Tugann sé amach faoin gcaife an t-am ar fad ach ní ólann sé in aon áit eile é.'

'Cén chaoi a gcuireann sibh suas leis?'

'Ólann an boc sin idir a sé agus ocht gcinn de *cappuccinos* in aghaidh an lae, gach uile lá. Ciallaíonn sé sin gur fiú os cionn trí mhíle go leith punt in aghaidh na bliana é. Mar sin, ná déan dearmad…'

'…Fág amach an púdar seacláide,' a d'fhreagair Rebekka.

Tar éis tamaill thosaigh sí ag dul i gcleachtadh ar an inneall agus ar an gcuntar go ginearálta. D'éirigh léi cúr a chur ar bhainne, fuair sí amach cá raibh an tae Earl Grey i bhfolach agus d'fhoghlaim sí uimhreacha na mbord. Bhí scipéad an airgid furasta: bhí neart taithí aici air sin ón uair a bhí sí ag obair ag an stáisiún peitril. Bhí sí díreach ar tí *cappuccino* eile – gan púdar seacláide – a dhéanamh do Mhártan Mussolini nuair a sheas Naoise in aice léi arís.

'Anois caithfidh tú an t-arán a bhailiú ag an mbácús. Níl ach uair an chloig fágtha go dtí am lóin.'

Ar an mbealach ar ais ón mbácús di bhí pian chomh mór sin ina lámha gur cheap sí go dtitfidís di. Ach ní fhéadfadh sí stopadh agus a scíth a ligean: ní éireodh léi go brách gach rud a ardú an athuair. Bhí dhá mhála phlaisteacha agus trí bhuilín aráin bhaile i ngach ceann acu crochta ó chaol a láimhe clé agus bhí dhá mhála builíní donna agus bána ar crochadh ó chaol a láimhe deise. Ina lámha féin, bhí trí bhosca cácaí á n-iompar aici agus bhí lán mála d'arán Francach fágtha ag bean an bhácúis anuas ar na boscaí. Ar éigean a bhí sí in ann an cosán roimpi a fheiceáil. Bhí a droim báite in allas faoin am ar bhain sí an droichead amach.

Nuair a tháinig sí ar ais leis an arán bhí Naoise imithe, ach chuir Éamonn timpeall an bhaile mhóir ar fad í. Bhí uirthi dul chuig an níolann chun tuáillí tae salacha na hoíche roimhe a thabhairt síos ann, chuig siopa cáise ar an taobh eile den abhainn chun cáis speisialta éigin as Contae Chorcaí a cheannach don anraith, agus chuig siopa crua-earraí Eddy Tehan chun bolgán solais a cheannach don leithreas. Bhí Éamonn ag déanamh muga caife dó féin nuair a tháinig sí ar ais. D'fhág sí an bolgán solais ar an gcuntar. Ní raibh radharc ar bith ar Naoise fós.

'Anois tá cupán caife uaim.'

'A thaisce,' arsa Éamonn, ag breathnú uirthi mar a bhreathnódh máistir scoile ar dhalta dúr, 'caithfidh tú an bolgán a chur isteach sa lampa ar dtús. Ansin beidh cead agat cupán caife a dhéanamh duit féin.'

Thug sí stól isteach go dtí an leithreas léi. Bean ard ba ea í, ach ní raibh sí ard a dóthain chun clúdach an lampa a bhaint ón tsíleáil gan seasamh ar stól. Chuir sí an bolgán isteach. Ansin chonaic sí go raibh an tsíleáil breac le téada damhán alla. D'aimsigh sí scuab agus ghlan iad.

'Bíodh do chupán caife agat anois,' a dúirt Éamonn nuair a tháinig sí ar ais ó na leithris. 'Ní bheidh am agat ar ball, nuair a bheidh sé ina am lóin.'

Dar le hÉamonn, ba gheall le deireadh an domhain é am lóin. Duine ocrach ar an uile shuíochán, scuaine custaiméirí ag fanacht le bord, brú mór millteanach ar an gcistin. Strus, deifir agus drochghiúmar ar fhreastalaithe agus ar chustaiméirí araon.

Rinne sí caife bán láidir di féin. Dhoirt sí an caife isteach thar dhroim na spúnóige mar a thaispeáin Naoise di ní ba luaithe an lá sin. Mar a bheadh draíocht ann, d'fhan an leacht donn ar snámh ar an mbainne. Bhain sí súmóg as agus tharraing sí anáil dhomhain: bhí sí réidh do rabharta an lóin.

Ach níor tháinig an rabharta. Bhí an t-anraith réidh agus an t-arán gearrtha, ach ní raibh duine ar bith ann lena n-ithe. Ní raibh duine ar bith istigh ach Éamonn, Aisling agus í féin.

'Tá rud éigin mícheart,' a dúirt Aisling. 'Níor tháinig na déagóirí ó Choláiste Iognáid, fiú amháin.'

Bhain sí a naprún di agus chuaigh amach ar an tsráid. Thapaigh Éamonn an deis chun an ceol a athrú.

'Ceapann Aisling gur maith le gach duine ceol traidisiúnta.'

Tharraing sé an dlúthdhiosca amach agus chuir albam leis na Red Hot Chilli Peppers isteach. Ní raibh an chéad amhrán ach tosaithe nuair a tháinig Aisling ar ais. Bhí a haghaidh chomh bán le tuáille tae.

'Leaids! Ní chreidfidh sibh céard a dúirt Bean Uí Dhónaill liom. Tá eitleán tar éis ceann de na Twin Towers a bhualadh thall i Nua-Eabhrac!'

Chuaigh siad amach agus chuir an caifé faoi ghlas. Leathchéad méadar síos an tsráid chonaic siad scaifte beag daoine cruinnithe le chéile ar an gcosán, os comhair siopa earraí fuaime agus físe. Bhí gach duine ag breathnú ar scáileán mór teilifíse a bhí casta i dtreo na sráide i bhfuinneog an tsiopa. Díreach nuair a tháinig an triúr acu fad leis an bhfuinneog bhuail eitleán eile an dara túr.

'Seo é anois. Beidh sé ina chogadh faoin am seo amárach,' a dúirt fear amháin.

'Tá deartháir liom thall i Nua-Eabhrac! Tá mé ag iarraidh glaoch air le leathuair an chloig anuas ach níl mé ag fáil tríd!' a dúirt bean óg.

'Tá mise ag dul ar ais go dtí an caifé,' a dúirt Éamonn. 'D'fhéadfaidís a bheith ag súil go dtarlódh rud mar seo lá éigin, na Yanks.'

Lean Rebekka é. D'fhan Aisling ina seasamh os comhair fuinneog an tsiopa.

D'oscail siad an caifé arís. Níorbh fhada gur thosaigh custaiméirí ag teacht isteach ina sluaite. Bhí go leor Meiriceánach ina measc. Ní raibh ocras orthu, ach d'ól siad rabhartaí caife. Ba léir go raibh comhluadar agus compórd uathu níos mó ná rud ar bith eile. Bhí cuid de na custaiméirí ag gol, cuid eile ag stánadh rompu, faobhar ar chuid eile arís ag tuar an Tríú Cogadh Domhanda. Nuair a tháinig Aisling ar ais, mhúch sí an ceol.

Níor fhill Naoise go dtí deireadh an tráthnóna. Bhí spéaclóirí gréine dubha air ach níor cheil siad a leicne dearga. Bhí T-léine chorcra á caitheamh aige le pictiúr de chupán tae. 'The Big Teacup' a bhí clóite os cionn an chupáin. 'New York' a bhí clóite thíos faoi. Chuir sé a lámh ar a ucht, san áit a raibh an cupán.

'Tá fear ar oibrigh mé leis sa Big Teacup i measc na marbh. An chéad leannán a bhí agam riamh.'

Bhreathnaigh Rebekka ar Éamonn, ar Aisling. Níor bhog ceachtar acu. Sa deireadh thóg sí féin céim chun tosaigh. Chuir sí a lámha timpeall ar Naoise agus lig dó titim as a chéile ar a hucht.

Nuair a tháinig foireann na hoíche isteach go gairid ina dhiaidh sin, d'fhan Rebekka ina seasamh i mbéal dhoras Aiséirí ar feadh tamaill fhada. Taobh thiar di bhí an caifé lán go béal, ach ní raibh aird ar bith aici ar an gcallán cainte. Bhí sí caillte i gclapsholas na sráide.

Bhí teannas aisteach ina bolg. Bhí a céad lá oibre sa chaifé curtha di aici. Bhí an domhan ar fad athraithe.

—

Bhí aird an domhain ar Nua-Eabhrac an tseachtain sin ach bhí aird Rebekka ar an inneall *espresso* agus ar an gcistin. Bhí míle rud le foghlaim: na deochanna agus an bia, ainmneacha na gcustaiméirí rialta agus nósanna agus cleasanna beaga na foirne – gan trácht ar na céadta focal Gaeilge.

Nuair a rinne sí agallamh don phost, gheall sí do Naoise go bhfoghlaimeodh sí Gaeilge, agus d'fhoghlaimeodh. Bhí sé chomh simplí sin. Níor bhean í a chuaigh siar ar a focal, fiú má chiallaigh sé sin go raibh uirthi stór focal úrnua a fhoghlaim. Nuair a bhí sé ciúin sa chaifé, d'iarr sí ar Naoise, Aisling nó Éamonn focail agus abairtí simplí a fhuaimniú agus a scríobh síos. Tar éis seachtaine, bhí oiread nótaí scaoilte aici gur cheannaigh sí leabhar nótaí i siopa Bhean Uí Dhónaill. Scríobh sí 'Gaeilge' ar an gclúdach i litreacha móra sa seanchló. Bhí ionadh ar a comhghleacaithe go raibh sí chomh dáiríre faoina hiarrachtaí a dteanga a fhoghlaim, ach níor cheap Rebekka go raibh rud ar bith aisteach faoi. Nár chaifé dátheangach é Aiséirí? Nárbh imirceach ise ar cheart di teanga na tíre ina raibh cónaí uirthi a fhoghlaim? Agus nach raibh muintir na hOllainne de shíor ag foghlaim teangacha iasachta? Nárbh in ceann de na cúiseanna go raibh an tír chomh saibhir is a bhí?

Nuair a bhí an chéad tseachtain curtha di aici in Aiséirí cuireadh ag obair istoíche í. Bhí riail neamhscríofa sa chaifé gur oibrigh baill foirne nua ar fhoireann na hoíche tar éis a gcuid traenála, go dtí gur shocraigh duine den fhoireann lae a phost a fhágáil. Ansin thógfadh an duine a raibh an seal ab fhaide caite aige ag obair san oíche a áit siúd, agus thiocfadh duine úrnua isteach ar fhoireann na hoíche. Ba ise an duine sin anois agus ní raibh an chosúlacht ar an scéal go bhfaighfeadh sí an deis filleadh ar fhoireann an lae arís go ceann tamaill fhada.

Ba chuma léi. Bhí an caifé oscailte go dtí a dó a chlog ar maidin agus ní bhaineadh sí a leaba amach go dtí a trí, ach bhí obair na hoíche ní ba réchúisí ná obair an lae. Ní raibh brú aisteach ann mar a bhí ag am lóin; bhí custaiméirí ag teacht agus ag imeacht ina sruth seasta.

Buntáiste amháin a bhain le hobair na hoíche nach raibh Naoise thart an oiread sin. Ba bhreá léi Naoise, ach ba é an t-úinéir é agus bhí ort luí isteach ar an obair nuair a bhíodh sé thart. Buntáiste eile ná go raibh an lá ar fad saor aici chun a bheith ag péinteáil nó a bheith ag fánaíocht thart faoin gcathair.

B'aoibhinn léi an chaoi ar athraigh na séasúir i nGaillimh. Bhí tréimhse ann ag deireadh Mheán Fómhair go raibh brat ceo ina luí ar an abhainn gach maidin. D'imíodh an ceo faoi am lóin agus dhéanadh sé lá geal, grianmhar, ach d'fhan fionnuaire éadrom san aer a chuir dinglis ar a craiceann agus faobhar ar a cruthaíocht. Cheannaigh sí glac mór bláthanna fómhair ag margadh an tSathairn. Sa bhaile arís di, phéinteáil sí na bláthanna in uiscedhathanna, díreach ar mhaithe le hathrú ón ngruaim dubh-agus-bán a bhí lárnach ina cuid péintéireachta le cúpla bliain anuas. Bhain sí sult as an bpéintéireacht. Nach iontach an rud é go raibh gnáthphost aici anois? Bhí sí in ann a rogha rud a phéinteáil, gan imní a bheith uirthi nach gceannódh éinne a cuid ealaíne. Ach nuair a bhí an pictiúr críochnaithe bhí sí míshásta leis. Níorbh é seo an cineál ealaíne a theastaigh uaithi a dhéanamh. Níor athraigh uiscedhathanna an domhan riamh, a dúirt sí léi féin, agus chroch an pictiúr sa leithreas.

Scuab gálaí agus stoirmeacha Dheireadh Fómhair na duilleoga buí de na crainn. Rinne an bháisteach liothrach díobh. Ar feadh seachtaine, cuireadh puimcíní isteach i ngach uile shaghas bia sa chaifé: san anraith, sna bonnóga, sna pióga. Tháinig agus d'imigh Oíche Shamhna, ach bhí an fhearthainn leanúnach.

Bhí oiread taithí ar an inneall *espresso* agus ar an gcistin aici anois go bhféadfadh sí an obair a dhéanamh ina codladh. D'fhás dlúthchairdeas idir í agus an chuid eile den fhoireann. Lá amháin, thug Norma-Jean, cailín donnrua ó Ghaeltacht Mhúscraí a raibh a brollach chomh mór is a bhí a gáire leathan, agus ar nós léi cóisirí fiáine a lorg tar éis na hoibre, albam de chuid Dido di mar bhronntanas nuair a chlúdaigh Rebekka seal oibre di gan mórán fógra. Ach ar na hoibrithe ar fad, ba le Rory ab fhearr a réitigh sí.

Tháinig Rory ar an saol i dteach ceann tuí ar mhala sléibhe uaigneach i nGleann Gheis, in iardheisceart Thír Chonaill, ach ní cheapfá riamh é. Shílfeá, ag breathnú air, gur amach as iris faisin a shiúil sé isteach sa chaifé. Chaith Rory éadaí nach mbeadh de mhisneach ag mórán daoine a chaitheamh: jeans dearga déanta as pvc, t-léinte geala a bhí chomh teann sin go mbeadh eagla ort go bpollfadh a dhidíní jad, bróga déanta as craiceann nathrach, seaicéad tiubh ar dhath an airgid a shamhlófá ar amhránaí *hiphop* as an mBronx seachas ar fhear as Gleann Gheis. Ach d'oir colainn agus aois Rory do na héadaí seo. Ní fhaca Rebekka feisteas riamh air nár oir dó.

Ar obair oíche, ní ligeadh Rory duine ar bith eile in aice leis an gcóras fuaime. Popcheol amháin a chasadh sé: Donna Summer, Bronski Beat, The Communards agus clasaicigh eile ó na hochtóidí, ach bhí cion ar leith aige ar phopcheol ón Tuirc, ón Iodáil agus ó Iosrael ach go háirithe, rud a d'fhág go raibh liricí in Eabhrais de ghlanmheabhair ag Rebekka tar éis tamaill, gan tuairim dá laghad aici céard ba chiall leo.

—

Bhí Mí na Samhna ar na tréimhsí ba ghnóthaí sa bhliain. Bhí go leor daoine ag staonadh ón ól do Mhí na Marbh agus ní raibh áit ar bith le dul acu san oíche ach Aiséirí. Oíche Aoine stoirmiúil amháin bhí an caifé dubh le daoine, ach bhí gach rud faoi smacht ag Rory, Norma-Jean agus Rebekka. Nuair a chuir Naoise triúr ag obair le chéile, níor ghá dó féin teacht isteach chun na sosanna a chlúdach.

Thaitin le Rory a bheith faoin spotsholas: spórt a bhí ann dó an t-inneall *espresso*, scipéad an airgid agus an t-urlár ar fad a oibriú ag an am céanna. Chiallaigh sé sin gur chaith Rebekka agus Norma-Jean an oíche ar fad ag cur allais sa chistin, ach ba chuma leo, bhí bús iontach san áit.

Ansin, gan choinne, tharla sé. Nóiméad amháin, bhí Rebekka sa chistin, bagel le bradán agus cáis uachtair á chur i dtoll a chéile aici. An chéad rud eile, chuir Rory albam de chuid Britney Spears ar siúl go hard agus léim in airde ar an gcuntar, a bhróga de chraiceann nathrach ag damhsa idir ciseán na mbonnóg agus bosca na séisíní. Bhí 'Hit Me Baby One More Time' á chasadh in ard a chinn aige, scagaire de chuid an innill *espresso* ina lámh mar a bheadh micreafón ann. Soicind ina dhiaidh sin bhí sí féin agus Norma-Jean ina seasamh ar stólta beaga taobh thiar de Rory, ag damhsa go fiáin agus ag casadh an churfá. Bhí an scagaire *espresso* eile mar mhicreafón ag Norma-Jean agus bhí spúnóg mhór adhmaid aici féin. Bhí dinglis pléisiúir uirthi: bhí sí ag obair sa chaifé ba cheannródaí in Éirinn, san Eoraip ar fad, b'fhéidir.

Bhí alltacht ar chuid de na custaiméirí ach d'éirigh a bhformhór ina seasamh agus thosaigh ag liú agus ag bualadh bos. Ach díreach nuair a chuaigh Rory síos ar a ghlúine ar an gcuntar do chríoch phaiseanta an amhráin, osclaíodh doras an chaifé. Ba bheag nár thit Rebekka anuas óna stól nuair a chonaic sí Naoise.

D'éirigh le Rory léim anuas ón gcuntar agus an ceol a ísliú sular tháinig Naoise fad leo. Bhí Rebekka buíoch nár mhúch Rory an ceol ar fad. Níor theastaigh uaithi go gcloisfeadh na custaiméirí gach uile fhocal den racht a chuirfeadh Naoise de sula dtabharfadh sé bata agus bóthar dóibh.

Ach chuir Naoise a lámha ar a nguaillí agus rinne gáire.

'Ná bígí ag ceapadh nach ndearna mé féin rudaí mar seo nuair a bhí mé ag obair sa Big Teacup.' Choinnigh sé air i nglór íseal, amhail is go raibh rún mór á insint aige. 'Ná bíodh aon dul amú oraibh: tá an caifé seo cosúil le hamharclann. Breathnaigí, tá caife agus tae ag gach duine sa bhaile. Ní gá do dhuine ar bith de na daoine amuigh ansin teacht anseo. Ach bíonn draíocht ag baint le tithe maithe caife a mheallann na custaiméirí ar ais arís is arís eile, a mheascann agus a nascann le chéile iad. A dhéanann pobal as daoine aonair. Cuireann sé gliondar orm go bhfuil an draíocht sin againne.'

'Áiméan,' a dúirt Norma-Jean. Phléasc sí ag gáire.

Dhún Rebekka a súile. Ba lú an smacht a bhí ag Norma-Jean ar a béal ná a bhí aici féin.

'Níl tú chun bata agus bóthar a thabhairt dúinn?' a d'fhiafraigh Rory.

'Níl. Ach ná tarlaíodh sé arís. Go ceann tamaill an-, an-fhada pé scéal é.'

—

Má tharla Norma-Jean agus Rory a bheith saor ar an oíche céanna, bhí ar Rebekka obair le Juha, agus bhí sé sin deacair. Ní mar gheall ar Juha féin – fear óg gleoite as an bhFionnlainn a chuirfeadh buachaill as fógra teilifíse do thaos fiacla i gcuimhne do dhuine, bhí sé chomh glan, folláin agus gealgháireach sin – ach ní raibh focal Gaeilge aige, agus ní raibh ach na focail agus na frásaí is bunúsaí foghlamtha aici féin. Bhí sí in ann ordú a thógáil i nGaeilge fad is nár ordaigh custaiméir ach cupán caife nó babhla anraith. Ach a luaithe is a chuaigh custaiméir ar strae ón script bhí uirthi iompú ar an mBéarla.

Ba chuma le formhór mór na gcainteoirí Gaeilge a thagadh go hAiséirí nach raibh an teanga ar a thoil ag gach duine de na freastalaithe. Bhí siad sásta go leor leis an mbiachlár dátheangach agus le comhluadar na nGaeilgeoirí eile a tharraing ar an áit. Ach má bhí Rebekka agus Juha ag obair le chéile ní raibh seirbhís cheart i nGaeilge ar fáil, agus bhí cúpla custaiméir ann nár ghlac leis seo, beag ná mór. Ní raibh caifé ná bialann ná siopa ar bith eile i nGaillimh a raibh oiread cainteoirí Gaeilge ag obair ann, ach bhí an dream mífhoighneach seo den tuairim go raibh sé de dhualgas ar fhoireann Aiséirí freastal ar a riachtanais teanga óna hocht a chlog ar maidin go dtí a dó a chlog san oíche.

Ní raibh a seal oibre ach tosaithe, oíche fhuar ag tús Mhí na Nollag, nuair a chuala Rebekka glór feargach ag tabhairt íde do Juha ag an inneall *espresso*, i nGaeilge. Bhí sí féin i lár ordú mór bia sa chistin, ach nuair a chuala sí dorn á bhualadh ar adhmad an chuntair, d'fhág sí na ceapairí faoin ngríoscán agus rith amach chun tosaigh. Ba le seanfhear ard maol an glór. Bhí cuisle ar bharr a chinn ag preabadh le fearg.

'An bhfuil Gaeilge agatsa, mar sin?' a d'fhiafraigh sé a luaithe is a tháinig Rebekka amach as an gcistin.

Tharraing sí anáil dhomhain agus sheas ag an gcuntar, idir an fear feargach agus Juha.

'Tá beagáinín Gaeilge agam.'

'Maith thú. Anois a chailín, abair leis an úinéir…'

Ach níor thuig sí cén teachtaireacht a bhí ag an bhfear do Naoise. D'éist sí leis go múinte, aghaidh dháiríre uirthi, ach tar éis tamaill stad sé ag caint. Ba léir go raibh sé tugtha faoi deara ag an bhfear nár thuig sí focal dá raibh ráite aige.

'Béarla, le do thoil?' Rinne sí an miongháire ba mhealltaí a d'fhéad sí.

'Dia ár réiteach!' a bhéic an fear. Thosaigh an chuisle ar bharr a chinn ag preabadh go contúirteach an athuair. Bhí faitíos ar Rebekka go ndéanfadh sé dochar dó féin.

Ansin, i nglór cráite, amhail is go raibh gar mór á dhéanamh aige
dóibh, chuir an fear a racht de i mBéarla. Praiseach a bhí i bpolasaí
teanga an chaifé. Ba cheart náire a bheith ar an úinéir duine nach
raibh focal Gaeilge ina phluic a fhostú. Ar thuig Juha agus Rebekka
cé chomh gar don bhás agus a bhí an Ghaeilge? Nach raibh i gcur i
gcéill Aiséirí ach tairne eile i gcónra na teanga?

'Ar mhaith leat cupán caife?' a d'fhiafraigh Rebekka, i nGaeilge,
nuair a bhí an fear críochnaithe. 'Ar an teach?'

Lig an fear uaill as amhail is go raibh sí tar éis an tairne deireanach a
chur i gcónra na Gaeilge go pearsanta. Chas an fear timpeall agus
mháirseáil amach as an gcaifé. Bhraith Rebekka boladh deataigh ar
an aer.

'Cac! Mo chuid ceapairí!'

Tháinig Naoise isteach ag a naoi a chlog chun na sosanna a
chlúdach agus d'inis sí an scéal ar fad dó.

'Cén chuma a bhí ar an bhfear, a dúirt tú?'

'Ard, maol, feargach. Ó, agus bhí stocaí olla á gcaitheamh aige
laistigh dá chuid Birkenstocks.'

Phléasc Naoise ag gáire.

'Sin Cóilín Mac Néill, níl dabht ar bith faoi.'

'Cé hé féin?'

'Tugann sé "eagraí pobail" air féin.'

'Céard a chiallaíonn sé sin?'

'Go mbíonn sé ar Nuacht TG4 agus ar Raidió na Gaeltachta cúpla uair sa tseachtain ag tabhairt amach faoi gach rud. Cúrsaí teanga ach go háirithe, ar ndóigh.'

'Ar nós?'

'Nach mbíonn Gaeilge ag na cigirí scoile a dhéanann tástáil chumais ar na páistí i naíonraí sa Ghaeltacht, mar shampla.'

'Ach sin pointe maith! Cén chaoi ar féidir le duine tástáil chumais a chur ar pháiste mura labhraíonn sé teanga an pháiste?'

Shamhlaigh Rebekka tástáil inniúlachta á cur ar Noortje, naíonán chomharsana a tuismitheoirí in Lelystad, i nGearmáinis in ionad Ollainnise. Bhrúcht tonn feirge aníos inti.

'Níl daoine ar nós Chóilín Mhic Néill chomh dona sin,' a d'fhreagair Naoise, amhail is go raibh sé in ann a cuid smaointe a léamh. 'Murach a leithéid siúd ní tharlódh tada. Ní bheadh TG4 againn, mar shampla. Cuireadh Cóilín sa phríosún, bíodh a fhios agat. Dhiúltaigh sé an ceadúnas teilifíse a íoc toisc nach raibh faic na ngrást i nGaeilge ar an teilifís sna laethanta sin. Ba scéal mór é ag an am.'

'I ndáiríre? *Fair play* dó.' Chuir sí a lámha trasna ar a chéile. 'Fós, ní thuigim cén fáth ar chuir sé as dó an oiread sin nach raibh muidne in ann freastal air i nGaeilge. Comhlacht príobháideach é an caifé seo, tar éis an tsaoil. Cén fáth nach dtéann sé go dtí an Chomhairle Chontae ag gearán faoi rud éigin?'

'Tá mé cinnte gur ann a bhíonn sé i rith an lae, ach bíonn an Chomhairle Chontae dúnta san oíche, an bhfuil a fhios agat?'
Bhain Naoise a gheansaí de. Bhí T-léine de chuid Aiséirí á caitheamh aige faoi.

'Cuid de na daoine seo, tá siad chomh tugtha don chúis go gcailleann siad smacht orthu féin. Aontaímse le Cóilín Mac Néill faoi go leor rudaí.' Leag sé a lámh ar lógó Aiséirí ar a léine. 'Tá cur chuige difriúil agamsa, ach ná bíodh dul amú ort: tá Cóilín agus mise ag troid sa réabhlóid chéanna.'

Uaireanta, roimh dhul isteach ag obair di, bhíodh pionta ag Rebekka go ciúin, Tí Taylor. Théadh sí go Tí Taylor chun na nuachtáin a léamh. Thaitin sé léi na páipéir a chíoradh ó thús deireadh, an *Irish Times,* an *Examiner,* an *Curadh Connachtach,* an *Advertiser.* In Aiséirí, is ar éigean a bhíodh an t-am aici sracfhéachaint a chaitheamh ar cheannlínte na leathanach, faoin am ar thosaigh a seal oibre.

Tráthnóna dorcha i lár Mhí na Nollag bhí deora tiubha báistí ag bualadh in aghaidh fhuinneog an tí tábhairne. Shéid an gála isteach faoin doras adhmaid. Bhí cantal ar an bhfear taobh thiar den chuntar faoi rud éigin, agus bhí na nuachtáin ag cur thar maoil leis an gcogadh nua san Afganastáin. Chuir tuairisc ó chomhfhreagraí an *Irish Times* i gcathair Kabul alltacht uirthi, ach nuair a chonaic sí an cheannlíne mhór ar an gcéad leathanach eile, an leathanach anailíse, mhothaigh sí mar a bheadh sonc faighte sa ghoile aici.

'NO NATIVE SPEAKERS OF IRISH LEFT BY THE TURN OF THIS CENTURY' a bhéic na litreacha tiubha dubha. Sa ghrianghraf mór taobh leis an alt, bhí scamaill dhubha ag bailiú os cionn reilige le croiseanna ar a raibh ainmneacha na marbh scríofa i nGaeilge. Léigh sí an t-alt trí huaire as a chéile ach níor athraigh an bhunteachtaireacht ghruama: de réir anailíse a bhí déanta ag an údar ar staitisticí daonáirimh, bhí rás na Gaeilge rite mar theanga phobail. Bhí an locht ar an bpolaitíocht. D'aithin sí an t-ainm ag bun an ailt: Cóilín Mac Néill. Le teannas aisteach ina bolg, d'éirigh sí agus d'íoc as an bpionta, nach raibh ach súmóg bainte aici as. Bhí sé a cúig chun a sé cheana féin.

Bhí soilse na Nollag os cionn na sráide ag luascadh sall is anall sa stoirm. Cé nach raibh Aiséirí i bhfad ó Thí Taylor, bádh go craiceann í. Ach rinne sí dearmad ar a cuid éadaí fliucha agus ar an teannas ina bolg, a luaithe is a bhain sí an caifé amach: bhí an áit lán go doras agus bhí Norma-Jean tinn arís. Ní raibh ag obair ach í féin agus Rory. Mar bharr ar an donas ní raibh tuáille tae glan ar bith fágtha.

Ba chúis leanúnach achrainn idir foireann an lae agus foireann na hoíche iad na tuáillí tae. Tráthnóna amháin phléasc Aisling, oibrí lae, nuair a tháinig Rebekka isteach dá seal oíche. Bhí sí spréachta *annoyed* gur úsáid foireann na hoíche roimhe sin na tuáillí tae ar fad. Fágadh Aisling agus Éamonn gan tuáillí glana go dtí tar éis am lóin. Ach níos minicí ná a mhalairt, ba í foireann na hoíche a bhí thíos le ganntanas na dtuáillí. Dhéanadh foireann an lae dearmad iad a thabhairt go dtí an níolann agus ní bheadh fágtha ag foireann na hoíche ach cinn fhliucha, bhréana. *smelly*

B'amhlaidh an cás an oíche seo. An rud ba mheasa ar fad ná go raibh Rebekka ag obair arís ag a hocht a chlog an mhaidin dár gcionn: bhí sí ag déanamh seal lae d'Aisling toisc go raibh a deirfiúr siúd ag pósadh. Anois bheadh sí dhá sheal oibre as a chéile gan tuáillí glana.

—

Nuair a chiúnaigh cúrsaí síos rud beag tar éis a deich, shuigh sí féin agus Rory síos ag ceann de na boird, ag cleachtadh Gaeilge. Bhí siad ag dul siar ar na frásaí beaga a rinne siad an oíche roimhe. Bhí siad ar fad fós de ghlanmheabhair aici.

Ar maidin, luíodh Rebekka siar ar a leaba ag cleachtadh na bhfuaimeanna agus na bhfocal nua, á gcasadh timpeall ina béal mar a bheadh milseáin nó póga leannáin. B'aoibhinn léi an séimhiú agus an t-urú; an chumhacht a bhí acu focail a chlaochlú, díreach cosúil leis an gcaoi ar chuir lámha na bhfear ina cuid brionglóidí a colainn féin i riocht eile. Ní raibh oiread spraoi aici léi féin ó bhí sí sna déaga, nuair a shuíodh sí ar bharr an innill níocháin i dteach a tuismitheoirí, agus an rud ag crith go fíochmhar.

'Tá tú iontach gasta ag foghlaim,' a dúirt Rory.

'Go raibh maith agat.' Smaoinigh sí ar feadh cúpla soicind. 'Is múinteoir maith thú,' a d'fhreagair sí ansin, i nGaeilge.

'Bualadh bos! Bualadh bos! Agus bualadh bos dom féin!'

Bhí an bheirt acu sna trithí, ach d'fhan Rebekka ina tost go tobann nuair a chuimhnigh sí ar alt Chóilín Mhic Néill. D'aimsigh sí an *Irish Times* agus thaispeáin an t-alt do Rory, a chuir cuach as nuair a chonaic sé an cheannlíne.

'Ní haon nuacht é sin! Tá a fhios sin agam le fada an lá. Tá sráidbhaile mo mhuintirse sa Ghaeltacht agus seachas na caoirigh, sinne an t-aon dream a labhraíonn Gaeilge ann.'

'Ach ní thuigim cén fáth! Cén fáth nach labhraíonn muintir na hÉireann ar fad Gaeilge? Tá na Sasanaigh imithe le fada an lá.'

Phléasc Rory ag gáire. 'A thaisce, níl sé chomh simplí sin! Déarfadh sochtheangeolaí ar bith leat....'

'Sochtheangeolaíocht mo thóin! Nach bhfuil sé chomh simplí le rud ar bith? Caithfear rud éigin a dhéanamh!'

Tháinig meangadh gáire rúndiamhrach ar aghaidh Rory. Thosaigh sé ag cuardach rud éigin ina mhála droma. Tar éis tamaill bhain sé filltéan plaisteach lán páipéir amach as.

'Tá bás na Gaeilge tuartha chomh minic sin. Creidfidh mé é nuair a chífidh mé é. Á, seo é. Tá alt agam anseo a thabharfaidh misneach duit.'

old book supplement

Leag Rory cóip d'alt as seanfhorlíonadh leabhar de chuid an *New York Times* ar an mbord. 'WHY I CHOSE TO WRITE IN IRISH – THE CORPSE THAT SITS UP AND TALKS BACK' an teideal a bhí air.

'Nuala Ní Dhomhnaill,' a dúirt Rebekka, ag breathnú ar ainm an údair. 'Cé hí sin?'

'Cé hí Nuala Ní Dhomhnaill? Duine de na filí Gaeilge is mó le rá! Tá mé chun mo thráchtas a scríobh fúithi sin. Léigh leat, tá Mártan ag iarraidh *cappuccino* eile. Déanfaidh mise é.'

—

exhausted

Ag deireadh na hoíche shocraigh Rebekka na tuáillí tae a thabhairt abhaile léi agus iad a ní ansin. Ar a laghad, bheadh cinn ghlana aici an mhaidin dár gcionn. Taobh amuigh, bhí an gála spíonta. Bhí sé tirim, ach bhí sé damanta fuar. Chaith an ghealach lán scáthanna fada ar an tsráid.

proudly

Ar ais sa teach, bhrúigh sí na tuáillí isteach san inneall níocháin chomh sciobtha is a bhí sí in ann. Bhí boladh bréan uathu, boladh a mheabhraigh bainne géar agus cosa lofa di. Chas sí an t-inneall air. A luaithe is a bheadh an níochán déanta, d'fhéadfadh sí an triomadóir a chur ar siúl agus bheadh sí in ann dul a chodladh ar feadh ceithre huaire an chloig sula mbeadh uirthi éirí don obair arís.

Ach ansin bhuail smaoineamh eile í.

Thíos faoin staighre, d'aimsigh sí píosa mór cartúis. Rug sí ar pheann luaidhe agus siosúr agus shuigh síos ag bord na cistine. Ansin, chuir sí a cuid samhlaíochta ag obair fad a bhí na tuáillí tae ag rothlú timpeall taobh thiar d'fhuinneoigín an inneall níocháin.

Díreach nuair a bhí sí críochnaithe stop an t-inneall níocháin. Dea-chomhartha, gan dabht. Chas sí an triomadóir ar siúl ar feadh dhá uair an chloig. Mura mbeadh na tuáillí tirim ansin thabharfadh sí casadh eile don roth. Faoin am sin, ba cheart go mbeadh sí ar ais. Ceathrú chun a ceathair ar maidin. Aisteach an chaoi nach raibh tuirse ar bith uirthi anois. Ach b'in an chaoi a raibh sé i gcónaí nuair a bhuail splanc inspioráide í: ní ligfeadh sí a scíth go dtí go raibh an obair déanta.

Thuas staighre, bhailigh sí a raibh uaithi le chéile i mála droma beag. Ansin d'oscail sí doras Péter go cúramach. Bhí sé ag srannadh. Thug sí creathadh beag dá ghualainn.

snoring

'Péter. Péter.' Níor theastaigh uaithi an teach ar fad a dhúiseacht. D'iompaigh Péter ar a bholg agus dúirt rud éigin in Ungáiris. Chroith sí a ghualainn an athuair. 'Péter,' a dúirt sí de chogar, gar dá chluas. D'iompaigh sé de gheit agus shuigh aniar ina leaba.

'Céard sa diabhal?'

'Dúirt tú liom tú a dhúiseacht nuair a thosódh an réabhlóid. Cuir ort do chuid éadaí.'

—

D'fhan siad ina seasamh sa lána beag in aice le Séipéal San Nioclás. Bhí sé díreach a ceathair ar chlog an túir.

'Tá tú glan as do mheabhair.' Bhí a lámha sáite isteach go domhain ag Péter i bpócaí a chóta geimhridh. Tháinig na focail amach as a bhéal ina néalta beaga gaile. Bhreathnaigh sé timpeall air féin go neirbhíseach. 'Beidh trioblóid faoi seo.'

'Níor rug na póilíní ar na leaids a bhí á leanúint agam in Amsterdam riamh. Beimid togha. Agus i ndeireadh na dála, nach ar mhaithe le muintir na hÉireann féin atá mé? Is é dualgas an ealaíontóra an pobal a spreagadh. Murach ár leithéidí ní tharlódh tada.'

Chuir sí an píosa cartúis i gcoinne balla bán an fhoirgnimh trasna ón séipéal agus bhreathnaigh ar Phéter.

'Sin é é. Coinnigh díreach ansin é.'

Chuir Péter a lámha ar chúinní an phíosa cartúis. Bhain Rebekka canna miotail as a mála droma. Bhain sí an claibín de agus bhrúigh ar an gcnaipe. Ba é siosarnach ard na sprae-phéinte an t-aon fhuaim a bhí le cloisteáil i gciúnas na mochmhaidine.

Sheas siad siar. Bhí an píosa graifítí le feiceáil go soiléir faoi sholas na gealaí: cónra oscailte a raibh corpán ag suí aníos inti, seanbhean le gruaig fhada lán réaltóga beaga a bhí ar foluain i séideán gaoithe dofheicthe. Bhí crúba an truáin ardaithe i dtreo na bhFlaitheas aici agus bhí an focal 'Aiséirí', sa seanchló, á scairteadh amach aici i mbalún cainte.

Lig Péter fead fhada as mar mholadh.

'Go raibh maith agat,' a dúirt Rebekka. 'Anois, cá gcuirfimid an chéad cheann eile?'

—

Nuair a dhúisigh muintir na Gaillimhe an mhaidin sin bhí aiséirí na Gaeilge á fógairt ar fud lár na cathrach: ar bhallaí, ar chosáin agus ar bhoscaí leictreachais. Ach faoin am sin bhí Rebekka ina suí in aice leis an inneall níocháin, lámh fáiscthe timpeall ar chupán tae. Níorbh fhiú di dul ar ais go dtí a leaba, mar a rinne Péter.

Bhí Éamonn ina sheasamh ar stól i lár chistin an chaifé, ag breathnú ar an seilf is airde.

'An iad seo atá á gcuardach agat?' Choinnigh Rebekka mála na dtuáillí tae in airde. 'Thug mé abhaile aréir iad. Tá siad nite agus triomaithe.'

'Muise, déanfar naomh díot go fóill.' Tháinig Éamonn anuas ón stól. 'Cogar, an bhfuil an graifítí sin ar fad feicthe agat?'

'Cén graifítí?'

'Ní fhéadfadh sé nach bhfuil sé feicthe agat. Tá sé ar an uile bhalla idir seo agus an Fhaiche Mhór! Bean Sí ag suí aníos i gcónra, an focal "Aiséirí" ag teacht amach as a béal. Tá sé an-mhaith.'

'An bhfuil? Cén fáth?'

'Bhuel, sa chéad áit, ní fhaca mé graifítí Gaeilge riamh! Sa dara háit, tá an pictiúr féin ar fheabhas. Seo é an cineál ealaíne a thaitníonn liomsa, ealaín sráide. Ach an t-aon rud amháin nach dtuigim, ná cén fáth ar roghnaigh siad an focal 'Aiséirí' thar aon fhocal eile. Tuigim gur athbheochan na Gaeilge atá i gceist, ach beidh daoine ag ceapadh go bhfuil muidne taobh thiar de.'

'B'fhéidir go bhfuil…' Sháraigh meangadh gáire Rebekka ceann Mona Lisa.

'Dia ár sábháil.'

4

'An rud is mó a chuireann alltacht orm faoin gcás seo ná go bhfuil sé de mhisneach ag iníon Vogelzang "ealaín phobail" a thabhairt ar a cuid loitiméireachta. Léiríonn a scrios páistiúil, a dímheas ar mhaoin phríobháideach agus phoiblí agus an teachtaireacht áiféiseach atá aici nach bhfuil tuiscint dá laghad aici ar an bpobal a bhfuil sí ag cur fúithi ina measc, ná, go deimhin, ar ealaín.'

Chuala Rebekka macalla focal an bhreithimh ar feadh gach nóiméid den 120 uair an chloig den phionós seirbhíse pobail a gearradh uirthi. Bhí uirthi gach ceann de na píosaí graifítí a ghlanadh, fad a bhí maor pobail, a raibh a chulaith liath, ghruama, ró-bheag dó, seasta ag breathnú thar a guaillí.

Bhí sí ar buile léi féin. Níor thóg sé ach soicind píosa graifítí a chur ar bhalla; thóg sé leathuair an chloig ceann a ghlanadh. Chuir an cheimic speisialta a bhí uirthi a úsáid as dá lámha, dá srón agus dá súile. Bhí a lámh dheas tinn ón síorscuabadh. D'fhan daoine ina seasamh ag féachaint uirthi. Níor thrua a d'aithin sí sna súile acu ach tarcaisne. Ag glanadh graifítí i rith an lae agus ag obair sa chaifé san oíche ní raibh sé i bhfad go dtí gur theastaigh rabhartaí Coca Cola agus *espresso* uaithi díreach chun fanacht ina dúiseacht. Faoin am a raibh an ceann deireanach dá píosaí graifítí glanta aici d'aontaigh sí féin leis an mbreitheamh. Cén dul amú, cén speabhraídí, cén seachmall a bhí uirthi ar chor ar bith? Ní ealaíontóir a bhí inti ach loitiméir. Loitiméir leisciúil gan samhlaíocht, anuas air sin. An íomhá cheannann chéanna curtha aici ar bhallaí ó cheann ceann na cathrach le stionsal cartúis. Na leaids thiar in Amsterdam, ní dhearna siad dhá phíosa mar a chéile riamh.

Nuair a bhí a cuid graifítí féin glanta aici, bhí lá amháin de sheirbhís phobail fágtha. Ar an lá deireanach sin thug an maor pobail chomh fada le clós súgartha do pháistí gar do Chanáil Eglinton í. Bhí graifítí ollmhór ar bhalla coincréite ag bun an chlóis.

'Glan é sin.'

Bhreathnaigh Rebekka ar an mballa. Saothar den scoth ba ea é. Ní raibh sé tugtha faoi deara riamh aici; ní raibh aon ghnó aici ar an taobh seo den chathair. Ar an gcoincréit liath, bhí Síle-na-gCíoch trí mhéadar ar airde ar foluain ós cionn Chuan na Gaillimhe, a cosa ar leathadh, straois uirthi a bhí uasal agus gáirsiúil ag an am céanna. Bhí a súile ag tabhairt dúshláin Rebekka.

'Ní féidir liom é seo a ghlanadh,' a dúirt sí leis an maor pobail.

Thrasnaigh seisean a lámha ar a chéile.

'Cén fáth?'

'Ealaín í seo. Ní theastaíonn uaim ealaín duine eile a scriosadh.'

Níor fhreagair an maor pobail. Thóg sé buicéad as a veain agus thosaigh ag meascadh na ceimice le huisce. Tháinig beirt chailíní bunscoile isteach sa chlós súgartha. Sméid Rebekka orthu ach rinne siad neamhaird di. Shuigh siad ar na luascáin agus d'oscail mála Taytos an duine. Nuair a bhí an meascán réidh ag an maor pobail, d'ardaigh sé an buicéad agus chaith an cheimic i ngabhal Shíle-na-gCíoch. Chaith sé an scuab le Rebekka.

'Ar aghaidh leat.' Dhírigh sé a chaipín, a bhí tar éis sleamhnú síos rud beag leis an saothar a bhí air. 'Tá mé chun rolla bricfeasta a cheannach sa siopa thall ach ná bí ag ceapadh nach bhfuilim ag faire ort.'

Phioc sí suas an scuab.

—

Níor bhuail gile Mhí Eanáir idir an dá shúil í go dtí go raibh an tseirbhís phobail thart. Ba iad na tráthnónta ba mheasa. Ar feadh uaireanta fada an chloig, d'fhanadh sí ina suí sa teach, ag bord na cistine, ag breathnú ar leathanach bán os a comhair agus ar an ngualach líníochta lena taobh, fad a bhí Dorothea ag baint lasracha as méarchláir a ríomhaire glúine agus fad a bhí peann Péter ag scríobadh ina leabhar nótaí siúd. Bhí cara de chuid Péter ina luí ar an tolg, ag srannadh. Dar le Rebekka go raibh an mhí, ní hea, an bhliain úr ar fad a bhí amach roimpi cosúil leis an leathanach a bhí os a comhair. Geal agus do-líonta.

Ba í cistin Aiséirí an t-aon áit a raibh sí ar a suaimhneas. Choinnigh sruth seasta na n-orduithe bia agus na bplátaí salacha a bhí de shíor ag carnadh sa doirteal a hintinn ó chúrsaí.

Bhí an t-ádh léi go raibh a post fós aici. Go dtí gur admhaigh sí gurbh í, agus í amháin, a rinne na píosaí graifítí ar fad cheap na Gardaí gurb é Naoise a bhí taobh thiar de.

'Ní déarfaimid a thuilleadh faoi, a thaisce,' a dúirt Naoise nuair a ghabh sí a leithscéal leis, an lá úd ag deireadh Mhí na Nollag gur tháinig na Gardaí go dtí an caifé. 'Ach abair rud amháin liom. Cén fáth "Aiséirí?"'

'An bhfuil focal níos fearr ann le cur síos ar a bhfuil uainn?'

Níor fhreagair Naoise, ach bhí an chuma air go raibh sé ag iarraidh meangadh gáire a choinneáil faoi smacht. Bhreathnaigh Rebekka ar an urlár.

'Tá mé faoi chomaoin mhór agat.'

'Tá go maith, a thaisce. Tá rudaí níos tábhachtaí sa saol. Tá an euro ag teacht isteach an tseachtain seo chugainn. Beidh gach lámh chúnta uainn.'

—

Lá Fhéile Bríde, chuir Naoise crois ghiolcach úr os cionn an dorais. Thaitin nós na gcroiseanna le Rebekka ach bhí an ghráin aici ar na maisiúcháin eile a bhí á gcur suas ar fud na cathrach. Mheabhraigh na croíthe móra dearga agus na béiríní gleoite i bhfuinneoga na siopaí di go raibh stíl bheatha aici a chuirfeadh éad ar bhean rialta. D'éist sí le halbam Dido oíche i ndiaidh oíche agus í ag iarraidh mothúcháin eile a cheansú agus a dhíothú – an riachtanas tobann a bhraith sí go mbeadh fear aici agus an masmas a bhí uirthi fós de thoradh eachtra an ghraifítí.

Chruthaigh Lá Fhéile Vailintín deacracht ar leith sa chaifé. Bhí grá geal ag gach duine eile ar an bhfoireann agus ní raibh duine ar bith acu sin ag iarraidh oibriú an oíche sin. Sa deireadh, ní raibh rogha ag Naoise ach é féin a chur síos sa sceideal oibre don oíche, i dteannta Rebekka.

'Tá súil agam gur cuma leat bheith ag an obair anocht,' a dúirt Naoise nuair a tháinig sí isteach ag a sé.

'Fadhb ar bith.'

Chaith Éamonn agus Aisling na naprúin uathu agus dheifrigh amach an doras. Bhí bord curtha in áirithe ag Éamonn dó féin agus dá chailín i mbialann dhaor ar bhruach na habhann. Bhí Aisling chun dinnéar rómánsúil a réiteach sa bhaile, i bPáirc na Coiribe, d'Albanach a raibh sí ag siúl amach leis ó Oíche Cinn Bhliana.

'Ar aghaidh linn, mar sin,' a dúirt Naoise.

'Ar aghaidh linn.'

Sular thug sí aghaidh ar na horduithe bia agus ar na plátaí salacha a bhí fágtha sa doirteal ag Aisling chuaigh Rebekka fad leis an gcóras fuaime chun albam Dido a chur isteach.

Bhí an caifé lán lánúineacha óga, iad ar fad ag tabhairt amach nach raibh bord ar bith fágtha i mbialanna na cathrach. Chuir a gcuid suirí múisc ar Rebekka. Mar bharr ar an donas, bhí ocras an domhain orthu. Bhí fonn uirthi a gcuid sailéidí a bhá i bhfínéagar agus a gcuid ceapairí a líonadh leis na picilí ba ghéire a bhí sí in ann a aimsiú. Mhúinfeadh sé sin dóibh gan a bheith ag líochán a chéile os a comhair, gan náire. Murach Dido, seans go gcaillfeadh sí guaim uirthi féin ar fad. A luaithe is a bhí an t-albam thart, rith sí anall chuig an gcuntar chun é a chur ar siúl arís, ach sheas Naoise idir í agus an córas fuaime.

'Rebekka, a thaisce, tá Dido ag dul ar saoire bheag. Tá sí ag canadh an oiread sin le deireanas go bhfuil saoire tuillte aici, nach gceapfá? Agus tá a fhios ag Dia go bhfuil saoire tuillte againne uaithi.'

Bhain sé an dlúthcheirnín amach agus chuir isteach i bpóca a sheaicéid é.

'I gceann coicíse tabharfaidh mé ar ais duit é. Níl tú ach do do chéasadh féin leis an gcacamas sin. Casfar fear breá ort lá breá éigin.'

Ní dúirt Rebekka tada. Bhreathnaigh sí ar Naoise mar a bhreathnódh cailín óg ar dhearth* ir dána a bhí tar éis a huachtar reoite a ghoid.

'Dhera, ar mhaithe leat féin atá mé.' Chuir Naoise a lámh timpeall ar a gualainn. 'Tá a fhios agat sin, nach bhfuil a fhios?'

'Is dócha.'

Chuir Naoise albam snagcheoil ar siúl. D'athraigh an t-atmaisféar láithreach. Bhí cuma ní ba theolaí ar an gcaifé, ní ba réchúisí ar na daoine. I measc na lánúineacha ar fad chonaic Rebekka an bhean Mheiriceánach úd ag scríobh i leabhar nótaí ag bord amháin, léi féin. Bhí fear óg ag brionglóideach ag an bhfuinneog, bhí Mártan

Mussolini ag léamh an *Irish Times*. Níorbh í an t-aon duine amháin a bhí ina haonar.

De réir a chéile, d'imigh na lánúineacha abhaile, ag fágáil na haonaráin leo féin. Ní raibh aon orduithe bia le déanamh agus bhí na gréithre ar fad nite. Chuaigh sí fad leis an gcuntar agus sheas in aice le Naoise. *crockery*

'An bhfuil a fhios agat go bhfuil bliain ann ó phóg mé fear? Beagnach bliain. Bhris muid suas thart ar an gCáisc. Bhí muid ag siúl amach le chéile ar feadh trí bliana nach mór. B'in ceann de na fáthanna ar theastaigh uaim imeacht as an Ollainn. Charles an t-ainm a bhí air.'

'Tá brón orm sin a chloisteáil.'

'Ná bíodh. Ní raibh sé chun oibriú amach riamh. Bhí sé aerach.' Bhreathnaigh sí síos ar a méaracha. Bhí sé aisteach i gcónaí nach raibh an fáinne sin ar a lámh a thuilleadh. 'Céard fútsa mar sin, a Shaoiste? Cén fáth nach bhfuil coinne agat le fear dathúil éigin anocht?'

grimace *regret*
Tháinig strainc ar Naoise. Bhí aiféala uirthi anois gur chuir sí an cheist. Ach nach raibh sise tar éis a hanam is a croí a nochtadh?

'An mbeidh caife agat?' a d'fhiafraigh Naoise.

'Beidh.'

Rinne sé dhá mhuga caife. Thug sé ceann de na mugaí di agus choinnigh an ceann eile idir a dhá lámh.

'Le scéal fada a dhéanamh gearr, bhris an fear a bhí ceaptha an caifé seo a rith i mo theannta suas liom cothrom an lae seo anuraidh.'

'Ar lá Fhéile Vailintín?'

'Go díreach. Tá sé le bean anois.'

'I ndáiríre?'

'I ndáiríre.'

Phléasc an bheirt acu ag gáire. Bhain siad cling as mugaí a chéile.

'Cogar,' a dúirt Naoise. 'Tá ceist agam ort. Beidh Éamonn dár bhfágáil go luath. Tá sé ag bogadh go Baile Átha Cliath. Beidh duine nua ag teastáil ar an bhfoireann lae. Anois, bhí an chuid eile den fhoireann oíche anseo romhat ach is mic léinn iad Rory agus Norma-Jean agus ní féidir leo oibriú i rith an lae. An mbeifeása sásta?'

'Céard faoi Juha?'

'Tá seisean ag filleadh ar an bhFionnlainn ag tús an tsamhraidh, ní fiú é a chur ar obair lae anois.'

'Ba bhreá liom, mar sin' a dúirt Rebekka.

Ní hé go raibh sí bréan de na hoícheanta, ach thuig sí go raibh dúshlán nua ag teastáil uaithi, pé dúshlán é.

'Bíodh ina mhargadh mar sin. Beidh tú ag obair laethanta ón tseachtain seo chugainn ar aghaidh.'

—

An mhaidin Luain sin mhothaigh Rebekka mar a bheadh sí ar ais ar scoil. Cinnte, d'oibrigh sí i rith an lae ar feadh seachtaine ag an tús agus bhí roinnt laethanta déanta aici ó shin, ag seasamh isteach d'Éamonn agus d'Aisling, ach le linn na sealanna oibre fánacha sin

occasional

thugadh sí aire do chuntar an innill *espresso*. Má tharla sa chistin í, ní bhíodh uirthi ach na ceapairí a chur i dtoll a chéile agus na plátaí a bhailiú agus a ní, díreach mar a rinne sí san oíche.

Ach bhí gné ag baint le hobair na cistine i rith an lae nár chuimhnigh sí riamh air. Na comhábhair ar fad a theastaigh do na ceapairí; rogha laethúil an tí, agus, ar ndóigh, an t-anraith – bhí ar dhuine éigin iad a ullmhú. Anois agus áit Éamoinn á tógáil aici bhí uirthi míle rud a fhoghlaim, agus bhí uirthi a bheith istigh ag a leathuair tar éis a seacht ar maidin chun tús a chur leis an gcócaireacht.

Roimh i bhfad, fuair sí amach gurbh fhearr di oiread rudaí agus ab fhéidir a dhéanamh sular tháinig na custaiméirí isteach. Díreach ar theacht isteach di dhéanadh sí an taosrán do na bonnóga agus chuireadh san oigheann iad. Fad a bhí na trátaí triomaithe ar maos agus na huibheacha ag bruith dhéanadh sí im ghairleoige agus anlann pesto. Faoin am sin, bhí an t-uisce san inneall *espresso* te a dhóthain agus dhéanadh sí cupán caife di féin, le hól le linn di na hoinniúin a ghearradh don anraith.

Níorbh é caighdeán an chaife amháin ba chúis leis an gcáil a bhí ar Aiséirí. Gach lá, díoltaí os cionn leathchéad babhla anraith, agus níor bhabhlaí beaga iad. Chiallaigh sé sin go raibh pota ollmhór le déanamh gach maidin. Ní fhéadfaí an t-anraith céanna a dhéanamh dhá lá as a chéile: ba dhream sofaisticiúil iad custaiméirí Aiséirí a raibh anraithí spreagúla, samhlaíocha uathu a chuirfeadh ar a gcumas dearmad a dhéanamh ar leadrán a gcuid oifigí, ag brionglóideach os cionn babhla *gumbo* ó New Orleans, *laksa* ó Singapore nó *gazpacho* as an Spáinn ag am lóin. Bheadh sé ina raic dá gcuirfí 'Anraith Glasraí' ar an gclár dubh. Chaithfí an t-anraith a chur ar an gclár dubh sin sa dá theanga. Níor thóg sé i bhfad ar Rebekka an Ghaeilge ar gach uile chineál glasra a fhoghlaim de ghlanmheabhair.

Labhair Naoise, Rory agus roinnt de na custaiméirí Gaeilge léi go mion minic anois. Thuig sí go réasúnta maith iad, ach bhí sé deacair uirthi go fóill iad a fhreagairt i nGaeilge an t-am ar fad.

Chaith an fhoireann lae oíche na Féile Pádraig i gClub Áras na nGael. I dteach na gcearc, gan choinne, fuair sí oscailt súl: is ea, bhí sé rud beag saonta uaithi a cheapadh go bhféadfadh sí an teanga aisteach seo, a raibh áit speisialta aimsithe aici ina croí di féin, a shábháil le graifítí. An rud ba phraiticiúla a d'fhéadfadh sí a dhéanamh ná an teanga a fhoghlaim i gceart agus a páirt bheag, ach tábhachtach, féin a imirt in aiséirí na Gaeilge, ag déanamh anraith do na sluaite i gcaifé dátheangach na Gaillimhe. Nuair a bhí cogadh ann, nach raibh an dream a bheathaigh an t-arm chomh tábhachtach céanna leis na saighdiúirí ar pháirc an áir? An tráthnóna ina dhiaidh, nuair a bhí an phóit maolaithe, d'fhill sí ar oifig Chonradh na Gaeilge agus chláraigh do chúrsa an mheánleibhéil.

Thosaigh a saol ag líonadh: ag obair cúig lá na seachtaine, Gaeilge ar an Luan agus ar an Aoine, *yoga* ar an Máirt agus *spinning* Déardaoin. Maidin amháin agus í ag siúl go dtí an obair thug sí faoi deara go raibh na crainn ar bhruach na Coiribe faoi bhláth. Ba ghearr go mbeadh sé ina shamhradh, rud a chiallaigh tráthnónta fada agus deirí seachtaine faoin ngrian i mBóthar na Trá. Cá bhfios nach gcasfadh sí le fear deas? Ní gá go mbeadh buanchaidreamh i gceist, dhéanfadh cúpla eachtra aon oíche cúis go breá. Nach uirthi a bhí an t-ádh, i ndáiríre, go raibh sí ag obair sa chaifé ba cháiliúla sa chathair? Ní bheadh cuairteoirí dóighiúla gann i rith an tsamhraidh agus ní bheadh leithscéal fánach ar bith uaithi chun comhrá a thosú leo – ba leor a n-ordú a thógáil.

Maidin gheal amháin, bhí Naoise ina shuí ag bord a cúig nuair a d'oscail sí doras an chaifé, i bhfad roimh am oscailte. Bhí a chloigeann cromtha os cionn carn mór admhálacha agus leabhar cuntais aige. Chuaigh sí fad leis, chuir a lámha timpeall air agus thug póg ar a leiceann dó.

'Go raibh maith agat,' a dúirt sí.

'As ucht céard?' a d'fhiafraigh Naoise. Bhí cuma an-tuirseach air.

'As gach rud. Is tú an saoiste is fearr a bhí orm riamh.'

ḅ oʃ

Bhí sí tuirseach traochta nuair a bhain sí barr an dara staighre amach. Chuir sí síos an dá mhála taistil a bhí ag sracadh na lámh aisti agus chroith a mála droma mór dá guaillí. D'fhág sí ansin sa phasáiste iad. Isteach léi ina seomra nua. Chuaigh sí caol díreach go dtí an fhuinneog mhór agus d'oscail í. Líonadh a scamhóga le cumhracht na bhféithleog sa ghairdín thíos.

Chomh maith leis sin d'airigh sí boladh na habhann, ag sruthlú taobh thiar de na crainn mhóra ag bun an ghairdín. Nach aisteach go raibh boladh chomh difriúil ón abhainn anseo, níos lú ná deich nóiméad siúil ón teach ina raibh cónaí uirthi roimhe? Thíos ansin ag an bPóirse Caoch mheasc fíoruisce na habhann le sáile agus le feamainn an chuain. Anseo ar Oileán Ealtanach bhí boladh bíogach úr ón uisce.

Rith sé le Rebekka go raibh sí ní ba ghaire don tobar anseo ar níos mó ná bealach amháin. Bhí sí tar éis teach nach raibh ina gcónaí ann ach eachtrannaigh a fhágáil ina diaidh agus bhí sí ag bogadh isteach i dteach nach raibh ina gcónaí ann ach Éireannaigh – cainteoirí Gaeilge. Teach a roinnt le cainteoirí Gaeilge, b'in é an príomhfháth ar fhág sí an teach thíos ag an bPóirse Caoch, ach níorbh é sin an t-aon fháth. Bhí a dóthain aici de mhuintir an tí. Thaitin siad léi duine ar dhuine, ach bhí daoine de shíor ag bogadh isteach is amach agus ag fanacht ar an tolg ann, nó fiú ar urlár na cistine. Bhí sé deacair fios a bheith agat ó sheachtain go seachtain cé a bhí ina chónaí sa teach agus cé nach raibh. Am ar bith a raibh bille le híoc d'fhógair a leath den líon tí nach raibh siad ina gcónaí sa teach ar chor ar bith. Anuas air sin ar fad, bhí sé ag tosú ag cur isteach uirthi nach raibh ag éirí le haon cheann de na pictiúir a thriail sí a dhéanamh, fad a bhí gach duine eile sa teach ag táirgeadh dealbh, dánta agus drámaí amhail is gurbh é an rud ab éasca ar domhan é.

'Tá an radharc go hálainn, nach bhfuil?'

Sheas Rory in aice léi, a dhá lámh ar leac na fuinneoige.

'Ní chreidim gur linne an gairdín seo,' a dúirt Rebekka.

'Tá orainn aire a thabhairt don ghairdín seo, mar a tharlaíonn. Níl an cíos atá aintín Liam a ghearradh orainn ró-dhona, ach caithfimid aire a thabhairt don ghairdín.'

'Fadhb ar bith, is breá liom garraíodóireacht!' Thug sí póg ar a leiceann do Rory. 'Tá a fhios agam go bhfuil sé ráite míle uair agam cheana féin, ach go raibh míle, míle maith agat arís as cuireadh a thabhairt dom bogadh isteach.'

'Ná habair é. Bhí an seomra le líonadh cibé. Cogar, ligfidh mé duit socrú isteach.'

B'aisteoirí iad an triúr buachaillí a raibh Rebekka ag roinnt tí leo anois: Liam, Donncha, agus Rory ón gcaifé. Bhí aithne acu ar a chéile ó chúrsa traenála aisteoireachta in amharclann Ghaeilge na cathrach, an Taibhdhearc. Bhí páirt Stanley Kowalski ag Donncha i 'Tramlíne Darbh Ainm Dúil', leagan Gaeilge de dhráma Tennessee Williams a bhí le cur ar stáitse sa Taibhdhearc le linn na Féile Ealaíon. Bhí Rebekka ar bís faoi sin. Ní hamháin gurbh ealaíontóirí iad a cairde tí; b'ealaíontóirí Gaeilge iad.

Bhí sí cinnte go n-éireodh go geal leis an gceathrar acu sa teach, cé nach raibh an triúr leaids ach sna luathfhichidí. Bhí seacht mbliana is fiche bainte amach aici féin cúpla mí sular aistrigh sí. Ach anois, ag breathnú ar dhuilliúr glas na gcrann agus ar loinnir na gréine ar thonnta beaga na habhann, mhothaigh sí ní b'óige ná am ar bith ó bhog sí go hÉirinn.

Ach an oiread leis an teach ag an bPóirse Caoch, ba sheanteach ard cloiche a bhí sa teach ar Oileán Ealtanach, ach seachas sin ní fhéadfadh an dá theach a bheith ní b'éagsúla lena chéile. Teach fairsing, maorga a bhí sa teach nua. An nóiméad a chuir sí cos thar tairseach an chéad uair ann mhothaigh sí go raibh stair agus saibhreas ag baint leis an áit. Bhí sí fiosrach faoi na daoine a chodail, a d'ól is a d'ith sa teach seo roimpi, ach ní raibh Liam in ann a fiosracht a shásamh. Bhí gnó leaba agus bricfeasta ag a aintín sa teach ar feadh na mblianta, b'in an méid a bhí ar eolas aige faoi, agus ó bhí aghaidh tugtha aici ar Mheiriceá um Nollaig bhí airsean aire a thabhairt don áit.

Ar ndóigh, bhí aithne mhaith ag Rebekka ar Liam agus ar Dhonncha cheana féin. Ba mhinic istigh sa chaifé iad agus b'iomaí uair a chas sí leo nuair a bhí sí amuigh i dteannta Rory.

B'as Conamara do Liam, as an gCeathrú Rua. Fear ard, caol ba ea é a bhearr a chuid gruaige finne é féin, le lann uimhir a haon, gach Domhnach. 'An Gasúr' an leasainm a bhí ag Rory air agus mheas Rebekka gur fheil sé sin thar cionn dó. *Suited him v. well*

Fear iomlán difriúil ba ea Donncha. Bhí aghaidh Liam chomh mín agus chomh soineanta le haghaidh linbh, ach bhí aghaidh Dhonncha lán roc. In ainneoin nach raibh ach bliain agus fiche aige bhí línte doimhne ina éadan agus cheapfá, ag breathnú air, go raibh go leor d'anró agus de thrioblóid an tsaoil feicthe aige. Bhí scéal éigin ann faoi uncail dá chuid, a dúirt Rory, ach b'fhearr gan ceist a chur. Bhíodh a shúile dorcha leathdhruidte i gcoinne an tsolais ag Donncha an chuid is mó den am agus bhíodh a ghruaig ghearr chatach dhonn i gcónaí in aimhréidh. Fear íseal téagartha ba ea é. Seachas an drámaíocht, ba í an iomáint an t-aon phaisean a bhí sa saol aige — bhí sé ar fhoireann na Gaeltachta sa bhaile, i gContae Chiarraí. Fiú anois, bhí sé thíos sa ghairdín lena chamán agus a shliotar.

Labhair an triúr leaids Gaeilge eatarthu féin an chuid is mó den am
agus bhí iarrtha ag Rebekka orthu gan ach Gaeilge a labhairt léi féin.
Idir chaint an chaifé, chúrsa an Chonartha agus chomhrá an tí,
bheadh an teanga ar a toil aici roimh dheireadh an tsamhraidh.

Tharraing sí a málaí isteach ón bpasáiste agus chroch a cuid éadaí
sna cófraí móra adhmaid dorcha, tropaiceach. Tháinig fuaim na
habhann agus fuaim an tsliotair ag preabadh ar chamán Dhonncha
isteach an fhuinneog oscailte. Bhí a fhios aici go ndéanfadh sé
samhradh fada, álainn.

—

Ach sa chaifé, bhí an chuma ar chúrsaí go ndéanfadh sé samhradh
fadálach. Taobh thiar den chuntar, bhain Rebekka learradh as a géaga
agus tharraing anáil dhomhain. Ba é an leadrán a chuir tuirse uirthi –
an leadrán, snagcheol suaimhneach Naoise agus an teas aisteach. Bhí
na doirse agus na fuinneoga oscailte chomh leathan is ab fhéidir. Bhí
dhá aerálaí ceannaithe ag Naoise chun an teocht mharbhánta a laghdú,
ach ba bheag an éifeacht a bhí acu ar an teas a tháinig ón inneall *espresso*
agus ón sorn mór ar a raibh an t-anraith á choinneáil te.

Ní raibh ach dornán daoine istigh ó mhaidin. Níor fhan siad i bhfad
agus ní raibh locht ag Rebekka orthu. Ar éigean a bhí sí féin in ann
an t-aer plúchta a sheasamh. Dá mbeadh an lá saor aici, bheadh sí ag
ligean a scíthe i ngairdín a tí nua, cois na habhann, leabhar ina lámh
agus deoch fuar lena taobh.

'Má leanann sé seo ar aghaidh beidh orainn an t-anraith a
chaitheamh amach anocht. A leithéid de chur amú. An scéal céanna
agus an samhradh anuraidh.' Bhí Naoise ag comhaireamh na
mbonn i scipéad an airgid. 'Ní hí an aimsir amháin faoi deara é, an
dtuigeann tú? Tar éis na scrúduithe téann go leor de na mic léinn
abhaile don samhradh. An ceathrú cuid dár gcustaiméirí rialta
imithe in aon iarraidh amháin.'

'Ach tiocfaidh feabhas ar chúrsaí i gceann cúpla seachtain, nach dtiocfaidh? Beidh an chathair ag cur thar maoil le turasóirí. Agus féach thall ar an mballa ag an doras. Tá póstaeir don Fhéile Scannán agus don Fhéile Ealaíon á gcur suas cheana féin.' *already*

'Táimid ró-fhada ó lár an bhaile le go dtiocfaidh turasóirí orainn.'

'Cén fáth nach ndéanann tú fógraíocht mar sin?'

Dhún Naoise scipéad an airgid de phreab.

'An bhfuil a fhios agat céard a chosnaíonn sé sin? Ní fiú an tairbhe an trioblóid. Turasóirí iad, ní bhíonn siad thart ach ar feadh cúpla lá. Ansin imíonn siad leo agus caithfidh tú tosú as an nua.'

racket

Go tobann, réab cliotaráil ard mhiotalach tríd an snagcheol réidh. Lean an callán ar feadh cúpla soicind, d'éirigh níos airde, agus stop go tobann. Rith Naoise isteach sa chistin agus rith sí féin ina dhiaidh.

'Ní chreidim é seo!' Bhí a lámha ar bharr a chinn ag Naoise.

'Céard é féin? Céard atá mícheart?'

fridge

Chroith Naoise a cheann i dtreo an chuisneora mhóir. Chuir Rebekka a cluas leis an rud. D'oscail sí an doras, dhún é. Bhain Naoise an phlocóid amach, d'fhan nóiméad, chuir isteach arís é, ach d'fhan an cuisneoir ina thost.

plug

'Beidh orainn gach rud atá istigh ann a chur sna cuisneoirí eile,' a dúirt Naoise.

'Ach ní bheidh dóthain spáis ann, tá an ceann beag lán de chomhábhair na gceapairí agus tá an ceann amuigh chun tosaigh lán de dheochanna boga agus sú.'

Thug Naoise cic don chuisneoir.

'Tóg go réidh é. Ceapaim go bhfuil réiteach agam.'

Rith sí amach as an gcaifé, trasna na sráide. Nóiméad eile, bhí sí ar ais.

'Tá reoiteoir folamh ag Bean Uí Dhónaill ar chúl an tsiopa. Deir sí gur féidir linn pé rud a theastaíonn uainn a fhágáil ansin fad atá caoi á cur ar an gceann seo.'

'Rebekka, is réalt thú.'

languid/close —

Oíche mheirbh amháin bhí Rory agus Rebekka ina suí ag ceann de na boird in Aiséirí, pláta lán sailéid an duine os a gcomhair. Ní raibh ar bhaill foirne íoc as rud ar bith a d'ól agus a d'ith siad sa chaifé, fiú mura raibh siad ag obair. Ba chúiteamh é ar an drochphá agus bhain Rebekka úsáid as go minic. Ar éigean a bhí bia sa teach aici féin.

hardly   *, escaping*

Ach bhí fáth eile ann go raibh sí féin agus Rory tar éis teitheadh ón teach. Ní raibh ach seachtain fágtha sula raibh 'Tramlíne Darbh Ainm Dúil' le bheith ar stáitse agus bhí Donncha mar a bheadh tarbh buile ann. Ní raibh ag éirí leis an dráma ar chor ar bith, dar leis. Bhí an chuid eile de na haisteoirí á ligean síos; Damhnait, an cailín a raibh páirt Blanche aici, ach go háirithe. Thagadh sí isteach mall chuig na cleachtaí agus bhíodh boladh raithní uaithi go seasta. Bhí fearg ar Dhonncha nach ndearna léiritheoir an dráma rud ar bith faoi.

'Níl ann ach go bhfuil an dráma seo chomh tábhachtach dó,' a dúirt Rory. 'Má theipeann air, brisfidh sé a chroí, an fear bocht.'

Bhreathnaigh Rory uirthi lena shúile móra gorma. Bhí sé cosúil le buachaill beag, a cheap sí. Leabhar oscailte.

'Bí cúramach nach mbrisfidh seisean do chroí-se!' Chlúdaigh sí a béal lena lámh láithreach. 'Tá brón orm. Níor cheart dom…. '

'Tá sé ceart go leor, a thaisce.' Leath gáire ar aghaidh Rory. 'An bhfuil sé le feiceáil chomh soiléir sin?'

'Tá.'

'Meastú an bhfuil sé tugtha faoi deara aige féin?'

'Níl aird aige ach air féin faoi láthair. Air féin agus ar a dhráma.'

'Meastú ar chóir dom é a rá leis?'

Rug Rebekka ar lámh Rory.

'Ní dóigh liom gur smaoineamh maith é sin.'

'Ní cheapann tú go bhfuil seans ar bith agam leis, mar sin.'

'Bhuel, níl suim aige sna fir. Nó an bhfuil?'

'Níl a fhios ag éinne, sin í an fhadhb.'

Ba gheall le céad bliain í an tseachtain a bhí fágtha roimh an Fhéile Ealaíon. Níor mhaolaigh an teas, níor thit deoir bháistí agus níor tháinig ach corrchustaiméir isteach. Na daoine a tháinig isteach, caife le breith leo a d'iarr siad. Bhí Rebekka in éad leo: ba bhreá léi a bheith amuigh faoin ngrian ag an bPóirse Caoch le buidéal den fhíon bán. B'ann a bhí na cuairteoirí dathúla. Gach uile lá, mar chúiteamh, thug sí cúcumar isteach go dtí an obair le bheith ag diúl air i rith an lae, cleas i gcoinne an tarta a d'fhoghlaim sí óna máthair. Ba é an t-aon rud a thug faoiseamh di ón mbrothall.

Ar an Aoine roimh an Fhéile Ealaíon bhí sé chomh ciúin sin gur thóg Aisling a briseadh le linn am lóin in ionad ina dhiaidh. D'fhan Naoise agus Rebekka ina seasamh ag an gcuntar, ag breathnú ar na cathaoireacha folmha.

'Má leanann an teas seo, éireoidh mé féin chomh tirim leis an bhféar sa pháirc.' Ligh sí ar a cúcumar.

Níor fhreagair Naoise.

'Céard atá mícheart, boss? Bíodh muifín seacláide agat. Rinne mé féin agus Aisling ar ball iad nuair nach raibh a dhath eile le déanamh againn.'

Bhreathnaigh sí ar a huaireadóir, arís. Cúig uair an chloig go dtí an deireadh seachtaine, an chéad deireadh seachtaine den Fhéile Ealaíon.

'A Rebekka, an bhfuil nóiméad agat?'

Bhain oifigiúlacht an tuisil ghairmigh siar aisti. Ar ndóigh bhí nóiméad aici. An chuma a bhí ar chúrsaí, bhí an tráthnóna ar fad aici.

'A Rebekka, ní maith liom é seo a iarraidh ort, ach an bhfuil aon seans ann go bhféadfainn tú a íoc tar éis an deireadh seachtaine? Níl duine ar bith ag ceannach caife agus chosain sé cúig chéad euro caoi a chur ar an diabhal cuisneora sin. Ar éigean atá dóthain agam le hAisling a íoc.'

Lig sí osna.

'An é sin é? Shíl mé go raibh tú chun bata agus bóthar a thabhairt dom nó rud éigin.'

'A thaisce, is tú an duine deireanach sa teach seo a dtabharfainn bata agus bóthar di. Sin é an fáth ar shíl mé go bhféadfainn a iarraidh ortsa…'

deserted

Bhreathnaigh sí ar an tsráid taobh amuigh, a bhí chomh tréigthe folamh lena pócaí.

'Tá go maith. Ach an bhféadfá fiche euro a thabhairt dom as mo phá inniu? Tá mise briste freisin.'

Bhain Naoise nóta fiche euro as scipéad an airgid agus thug di é.

'Go raibh maith agat,' a dúirt Rebekka.

'Go raibh maith agatsa,' a dúirt Naoise.

—

An Domhnach sin shiúil sí an Prom ar fad. Níor chosain sé sin tada. Bhí slua déagóirí ina seasamh ar an gceann is airde de na cláir tumadóireachta. Ó am go chéile léim duine acu anuas, ag cur sprae bán go hard san aer. Bhí na carraigeacha dubh le daoine ag déanamh bolg-le-gréin. D'aimsigh sí áit di féin ina measc. Ní dheachaigh sí isteach san uisce. Bhí cúpla punt meáchain curtha suas aici – ar an mbia saor in aisce in Aiséirí a chuir sí an locht – agus níor fheil an bícíní a thug sí léi ón Ísiltír, an bhliain roimhe sin, a thuilleadh di.

Níor fhan sí i bhfad. Cheannaigh sí cárta poist de Chuan na Gaillimhe agus stampa i siopa nuachtán thuas ar an bProm.

Gaillimh, Dé Domhnaigh 7 Iúil 2002

Machteld, a stór,

Ní raibh aithne riamh agam ar an oiread daoine i mo shaol is atá anois (tá mé ag obair sa chaifé is mó a bhfuil tóir air sa chathair ar fad.) Ach ní

popular

raibh mé chomh huaigneach céanna ach an oiread. Mothaím uaim thú.'
Grá,

Rebekka.

Bhreac sí síos seoladh poist theach mhuintir Machteld, a bhí aici de ghlanmheabhair. Bhí rud beag náire uirthi nach raibh seoladh nua Machteld féin, an teach a bhí ceannaithe aici lena leannán Arjen, ar eolas aici. Fós féin, gheobhadh Machteld an cárta ag teach a tuismitheoirí. D'aimsigh sí bosca poist agus thosaigh ar an mbealach fada ar ais go lár na cathrach.

Bhí Liam ina shuí leis féin ag bord na cistine nuair a tháinig sí abhaile, a cheann idir a dhá lámh.

'Céard atá ort?' a d'fhiafraigh sí.

'Go leor rudaí.' D'éirigh Liam ina sheasamh. Bhí sé ar dhuine den bheagán fear a bhí ar comhairde léi. 'An ngabhfaidh muid le haghaidh pionta? Caithfidh mé imeacht as an áit seo ar feadh tamaill nó rachaidh mé as mo mheabhair glan.'

'Más tú atá ag ceannach. Níl Naoise do m'íoc go dtí amárach.'

'Cúrsaí chomh dona sin sa chaifé, an bhfuil? Fadhb ar bith, fuair mise mo phá.'

Bhí Liam ag obair i dteach caife eile, i gceann de shreang thithe caife a bhí á n-oscailt ar fud na cathrach. Bhí an ghráin aige ar an áit, ach níor éirigh leis páirt ar bith a fháil sna drámaí a bhí á gcur ar siúl le linn na Féile Ealaíon.

Ní raibh an tráthnóna ach ina thús. Shocraigh siad gurbh fhearr cannaí a cheannach agus iad a ól amuigh faoin spéir ná dul ag ól i dteach tábhairne. Cheannaigh Liam sé-phaca Harp agus shiúil siad cosán Bhruach na Coiribe go dtí gur bhain siad an chéibh bheag taobh thiar den chlub rámhaíochta amach. Shuigh siad síos ag ceann na céibhe, a gcosa ag lapadaíl san uisce fionnuar.

Bhí an dara canna á oscailt ag Liam sula raibh leathcheann féin ólta ag Rebekka. Mhothaigh sí a shúile uirthi, á scrúdú. Bhí ciúnas trom eatarthu nach raibh sí ar a suaimhneas faoi, an cineál ciúnais a thagann roimh fhógra mór. Bhreathnaigh sí ar mhéaracha a cos san uisce. Chuimhnigh sí ar na tráthnónta fada a chaith sí féin agus Machteld ina suí ar chéibh adhmaid an chlub luamhaireachta in Lelystad, ag caint faoi na buachaillí sa rang. I ndáiríre, níorbh fhiú trácht ar dhuine ar bith acu ach ar Jeroen Jurjus, a d'oibrigh ag an gclub luamhaireachta ar an Satharn. Bhí cuma chomh fearúil sin ar Jeroen, lena chuid *Levis* agus leis na léinte póló sin a chaitheadh sé, na cnaipí oscailte chun an clúmh donn a bhí ag tosú ag fás ar a chliabhrach a thaispeáint…

'Rebekka, tá mé i ngrá le Donncha. Sin é é. Tá sé ráite agam.'

Thacht sí ar an mbeoir; chuaigh steall Harp suas ina srón. Chaith Liam siar a raibh fágtha dá channa siúd in aon iarraidh amháin agus d'oscail an tríú ceann.

'Tá, le fada an lá. Bhí mé i ngrá leis sular bhog sé isteach sa teach, fiú amháin. Bhí a fhios agam ag an am gur botún a bhí ann, ach ní fhéadfainn diúltú dó nuair a d'fhiafraigh sé díom an raibh seomra le fáil. Anois tá mé ag dul as mo mheabhair glan.' Rinne sé gáire. 'Éist liom, tá mé ag éirí cosúil le Blanche ó "Tramlíne".'

Cac, a smaoinigh sí. Tá an teach ag éirí cosúil le Ros na Rún.

'Ar cheart dom labhairt le Donncha, meastú?' a d'fhiafraigh Liam di.

Thiontaigh sí chuige agus bhreathnaigh sna súile air. Má bhí ról an *fag hag* sa chinniúint di, dhéanfadh sí sár-jab den pháirt.

'As ucht Dé ort, ná habair tada. Tá a fhios agat an chaoi a bhfuil sé, gan trácht ar an strus atá air leis an dráma.'

An oíche sin, chiceáil sí an phluid síos ar an urlár. Bhí sé i bhfad ró-mheirbh. Ach d'fhan sí ag suaitheadh agus ag tuairteáil timpeall faoin mbraillín, báite ina cuid allais féin. Bhí Jeroen Jurjus agus a chuid 501s ag teacht idir í agus codladh na hoíche. B'aisteach léi cé chomh soiléir agus a tháinig íomhá Jeroen chuici, deich mbliana tar éis di é a fheiceáil don uair dheireanach. Fiú an ball scéimhe úd i gcúinne a bhéil, chonaic sí go glé é. Bhí sí in uisce an chlub luamhaireachta agus seo chuici Jeroen ar an gcéibh, a fholt catach donn slíoctha siar, ag fáil faoi réir le léim isteach.

Bhí an mhaidin Luain dár gcionn chomh geal agus chomh te is a bhí an aimsir le coicís anuas, ach ní raibh na forbairtí ba dhéanaí i sobaldráma an tí pléite fós aici féin agus Aisling nuair a thosaigh na chéad deora tiubha báistí ag titim. Sheas an bheirt acu ag doras an chaifé ar feadh cúpla nóiméad, ag líonadh a scamhóg le boladh fionnuar na fearthainne ar dhromchla fiuchta an bhóthair.

Chuir an bháisteach fonn caife ar na sluaite cuairteoirí a bhí sa chathair don bhFéile Ealaíon. Faoi am lóin, bhí Aiséirí ag cur thar maoil. Chuir an brú tobann cantal ar Aisling agus uirthi féin, ach bhí an-spionn ar Naoise, a thug an chuid eile dá pá di as scipéad an airgid nuair a chiúnaigh cúrsaí síos rud beag. Tar éis am lóin lig sí féin agus Aisling a scíth ag an bhfuinneog.

'Tá cinneadh déanta agam,' a dúirt Aisling tar éis tamaillín. Bhí ribí dá gruaig fhionn á casadh idir a méaracha aici. 'Tá mé ag bogadh go hAlbain. Ní féidir liom cónaí i bhfad ó James níos mó.'

'Cén uair a shocraigh tú sin?'

'Anios díreach, le linn am lóin,' a dúirt Aisling, ag gáire. 'Is breá liom Gaillimh, ach tá James níos tábhachtaí.'

D'éirigh Rebekka agus thug barróg di.

'Mothóidh mé uaim thú, a Aisling. Tusa an chéad duine ar chuir mé aithne uirthi in Aiséirí.'

'Ní mhaireann aon ní ach seal. Foirne tithe caife ach go háirithe.'

'An bhfuil sé ráite le Naoise agat go fóill?'

'Labhróidh mé leis ar ball. Tá mé ag iarraidh bogadh sall chomh luath agus is féidir liom.'

Bháigh torann ard miotalach an comhrá. Léim siad anuas ó na stólta. Bhí Naoise in aice leis an gcuisneoir cheana féin. Bhí boladh bréan de phlaisteach dóite ag scaipeadh sa chistin. Go tobann, stop an torann agus d'imigh an solas sa chaifé.

'Is dóigh liom gurbh fhearr duit an phlocóid a bhaint amach,' a dúirt Rebekka. Labhair sí chomh cúramach agus ba fhéidir léi.

Níor fhreagair Naoise. Shíl sí go dtosódh sé ag caoineadh. Bhain sí féin an phlocóid amach. Chas sí an lasc thuisleach. Las na soilse an athuair.

'Right,' a dúirt Naoise. 'Tá mé chun seasamh taobh amuigh ar feadh cúpla nóiméad.'

D'imigh sé an doras amach.

'Is dócha nach é seo an lá is fearr chun fógra a thabhairt do Naoise mar sin,' a dúirt Aisling, agus iad ag iompar na n-earraí a bhí sa chuisneoir chuig siopa Bhean Uí Dhónaill.

—

Níor thug Donncha cead dá chairde teacht chuig 'Tramlíne' ach ar an oíche dheireanach; theastaigh uaidh go bhfeicfidís an léiriú ab fhearr. Le linn na Féile, théadh sé caol díreach isteach ina sheomra tar éis teacht abhaile dó, ach gheall sé oíche mhór dóibh tar éis an léirithe dheiridh. Idir an dá linn, chuir Rebekka suas le Rory san oíche agus le Liam ag an deireadh seachtaine, an bheirt acu ciaptha ag an ngrá. Bhí sí in éad leo. Fiú mura mbeadh cúiteamh ar a ngrá do Dhonncha go brách, bhí siad i ngrá. B'fhearr sin ná tada.

Faoi dheireadh, tháinig an oíche mhór. Nuair a bhí an seó thart, d'éirigh cairde Dhonncha ar fad óna gcuid suíochán: Liam, Rory, Norma-Jean, Aisling agus Rebekka féin. Rinne siad bualadh bos ollmhór. D'éirigh an chuid eile den lucht éisteachta freisin. Thóg Donncha agus Damhnait céim chun tosaigh agus chrom siad a gcinn. Ansin thóg Liam céim siar arís agus chrom Damhnait a ceann ina haonar.

'Ní raibh sí leath chomh dona agus a shíl mé a bheadh sí tar éis a ndúirt Donncha fúithi,' a dúirt Rebekka.

'Cá bhfuilimid ag dul le haghaidh piontaí?' a d'fhiafraigh Norma-Jean.

'Pé áit a dtéann Donncha,' a dúirt Rory.

Thosaigh camchuairt ar thithe tábhairne na cathrach a chríochnaigh i gClub na Féile Ealaíon. Bhí sí ar bís go dtí gur éirigh le Donncha iad ar fad a thabhairt isteach leis – club do lucht na Féile amháin a bhí ann, tar éis an tsaoil. Seans go raibh baint ag an bpúdar bán a bhí á smúradh aige ar feadh na hoíche lena mhisneach.

Bhí diúltaithe ag an bhFéile Ealaíon dá tairiscint taispeántas a eagrú leis na léaráidí gualaigh a bhí tugtha léi go hÉirinn aici, ach ní raibh súil aici lena mhalairt. Bhí a hainm ceangailte le scrios agus loitiméireacht go deo na ndeor.

Mar sin féin, b'eo í í, Rebekka Vogelzang, i gClub na Féile, gúna samhraidh bán a cheannaigh sí go speisialta don oíche mhór á chaitheamh aici, ag caint le cleasghleacaí mealltach ón Cirque du Soleil. Bhí siad ina seasamh ar ardán coincréite idir an club agus an abhainn. Bhí gealach lán i mbarr na spéire, bhí bleibíní daite solais timpeall ar an ardán ag bogadh go héadrom ar an ngaoth agus bhí an cleasghleacaí díreach ar tí rud éigin fíorshuntasach a rá nuair a chonaic Rebekka, thar ghualainn chlé an fhir, go raibh an tríú cogadh domhanda tar éis tosú.
'Gabh mo leithscéal,' a dúirt sí leis an gcleasghleacaí. 'Beidh mé ar ais i gceann nóiméid.'

Bhí neart pórtair faoin bhfiacail aici, ach ní aithneodh duine ar bith uirthi é nuair a scar sí Donncha agus Liam óna chéile go deaslámhach. Thit deora fola ó shrón Liam ar a gúna bán. Níor ghá di fiafraí céard a bhí tar éis tarlú.

'Dúirt mé leat gan rud ar bith a rá,' a dúirt sí le Liam, faoina hanáil.

'Bhris an bastard mo shrón!' a bhéic Liam.

'Agus bhí sé *fucking* tuillte aige,' a bhéic Donncha, ag déanamh ar Liam an athuair. 'Bhí sé ag iarraidh mé a phógadh!'

Rug sí ar lámha Dhonncha san aer agus bhreathnaigh sna súile air.

'A Dhonncha, seo í an bhliain 2002.'

Scaoil sí leis. D'iompaigh sí timpeall chun aire a thabhairt do Liam agus a shrón nuair a chonaic sí Rory ina sheasamh go neamhshocair ar an gceann is airde de na ráillí iarainn ag bun an ardáin. D'éirigh tonn feirge úrnua aníos ina hucht.

'Nach ndúirt mé leat gan rud ar bith a rá?' a bhéic sí ar Liam. 'Fan anseo.'

Ach sula raibh deis aici greim a bhreith ar Rory chaith seisean é féin isteach san abhainn.

oaths

'*Godgloeiende kut!*' a bhéic sí. Ní raibh mionnaí móra i nGaeilge ná i mBéarla a bhí láidir a ndóthain. Chomh fada agus ab eol di ní raibh snámh ag Rory. Bhí fuil ar a gúna nua cheana féin. An é go raibh uirthi é a mhilleadh ar fad anois in uisce na habhann? Níor tháinig sé chuige sin. Tharraing beirt fhear slándála Rory amach as an uisce. Ach ní raibh sé ach ar thalamh slán acu nó chaith siad gach duine acu amach. Ní hamháin Donncha, Liam agus Rory, ach Rebekka, Aisling agus Norma-Jean freisin. An rud deireanach a chonaic sí ná go raibh Damhnait ag caint leis an gcleasghleacaí ón Cirque du Soleil, an bheirt acu sna trithí gáire.

Thosaigh sí ar an mbealach abhaile, cois na habhann, ag ciceáil ghairbhéal an chosáin amach roimpi. Bhí an triúr leaids cúpla céim taobh thiar di, á leanúint, mar a bheadh buachaillí scoile. Is ea, mhothaigh sí cosúil le máistreás scoile. Seanmháistreás scoile a bhí ina cónaí léi féin gan de chomhluadar aici ach seilfeanna leabhar agus cat.

Bhí séideán fuar aníos ón abhainn. Chúb sí chuici na géaga agus thosaigh ag siúl níos sciobtha fós. Bhí sí beagnach ag an droichead nuair a tháinig Rory suas léi.

'An bhfuil tú chun labhairt linn go deo arís?'

Chas sí timpeall.

dearon

'Ní thuigeann sibh, an dtuigeann? Tá sibhse do mo bhodhrú le bhur gcuid fadhbanna grá an samhradh ar fad, ach an dtuigeann sibh go raibh seans agam le fear ar ball, den chéad uair le bliain agus ceithre mhí? Agus milleann sibh é le raic mar seo! Ní fhaca mé rud chomh páistiúil riamh i mo shaol.'

6

'Tá an samhradh thart,' a dúirt Bean Uí Dhónaill. Bean í a bhí tugtha do ráitis ghinearálta a shíl sí féin a bheith doshéanta. Bhí Rebekka i siopa Bhean Uí Dhónaill chun nuachtáin an chaifé a bhailiú. Níor thug Rebekka freagra uirthi. Ní raibh sí ina dúiseacht i gceart fós agus bhí sí ag smaoineamh ar chúrsaí an tí. Bhog Donncha amach an lá tar éis na troda; bhí Norma-Jean le bogadh isteach ina áit.

Thug Bean Uí Dhónaill na páipéir di.

'Seo Seachtain na Rásaí cheana féin – cúpla lá eile agus sin é é.'

'Céard faoi Mhí Lúnasa?'

'Ní fiú cac an diabhail Mí Lúnasa. Fan go bhfeicfidh tú.'

Bhí an ceart ag Bean Uí Dhónaill. Bhí Mí Lúnasa cosúil le lá fada marbhánta amháin. Bhí na féilte thart agus bhí muintir na cathrach ar saoire. Ach tráthnóna amháin ag deireadh na míosa, agus í ag siúl abhaile tar éis na hoibre, mhothaigh Rebekka boladh móna ar an aer. Bhí rotha móra an tsaoil ag casadh arís.

—

Maidin Luain ag tús Mheán Fómhair bhí sí ar a gogaide san ionad stórála i gcúl na cistine nuair a chonaic sí iad, ar an mballa, in aice le bosca cartúis lán cannaí túna: seilidí. Sé cinn bheaga agus ceann mór. Máthair-Sheilide agus a clann, a shíl sí, sular rith sé léi nár cheart do sheilidí a bheith ansin ar chor ar bith.

Bhí an t-ionad stórála ar chúl na cistine cosúil le pluais: spás faoi bhun staighre na gcomharsan a bhí ann. Bhí ort dul síos ar do chromada le dul isteach ann. Bhí sé rud beag tais ann i gcónaí agus ó bhris an bolgán solais ag tús an tsamhraidh bhí sé dorcha ann freisin. Bhí ceann de na coinnle beaga a bhíodh ar na boird san oíche lasta ag Rebekka le go bhféadfadh sí na cannaí túna, na pacáistí sú agus araile a chomhaireamh.

Ba é seo an chéad uair a raibh uirthi ordú a dhéanamh amach do na soláthraithe. Naoise a dhéanadh na horduithe de ghnáth, ach bhí seisean i gContae Liatroma ar feadh cúpla lá. Bhí sí neirbhíseach go leor faoin ordú. Dúirt Naoise go mbeadh uirthi glaoch ar na soláthraithe an chéad rud ar maidin, nó ní thiocfadh an t-ordú isteach go dtí an lá dár gcionn. Bhí sé a deich a chlog cheana féin agus bhí uirthi na seilfeanna stórála faoi chuntar an innill *espresso* a sheiceáil fós. Chúlaigh sí amach as an bpluais ar na ceithre boinn agus rinne dearmad ar na seilidí.

Lean sí ar aghaidh lena liosta ag an gcuntar. Bosca mór tae (duilleoga.) Dhá bhosca málaí siúcra (ceann le siúcra bán, ceann le siúcra donn.) Málaí bruscair. Soip phlaisteacha ildaite. Chuaigh sí tríd an liosta an athuair. Deich tar éis a deich. Má bhí dearmad déanta aici ar rud éigin, bíodh. Ghlaoigh sí ar na soláthraithe.

Le filleadh na mac léinn bhí fuadar nua faoin gcathair. Bhí an caifé ag cur thar maoil arís, lá i ndiaidh lae, oíche i ndiaidh oíche, agus bhí siad duine gann: bhí Aisling imithe go hAlbain. Bhí oibrí nua fostaithe ag Naoise an lá sula ndeachaigh sé go Liatroim, ach bhí ar Rebekka é a thraenáil. Bhí deifir leis, mar bhí ar an leaid bocht seal oíche a oibriú díreach tar éis a chuid traenála.

Lena chaipín cispheile agus a aghaidh oscailte, soineanta, chuir Jim buachaill scoile i gcuimhne di. Buachaill scoile a bhí ann, go deimhin – ní raibh sé ach tar éis an Ardteist a dhéanamh. Níorbh aon strainséir in Aiséirí é: roimh an samhradh bhíodh seisean agus a chairde ó Choláiste Iognáid ann go laethúil nach mór. Ba chuimhin le Rebekka an dream sin go maith: déagóirí glóracha ag múitseáil ón scoil ag bord mór ar feadh dhá uair an chloig gan á ól eatarthu ach seacláid the amháin. Déanta na fírinne, níorbh é Jim an duine ba mheasa acu. Agus bhí sé scíobtha ag foghlaim: níor thóg sé ach leathuair an chloig air dul i dtaithí ar an inneall *espresso*. Chaith siad an chuid eile den tráthnóna sa chistin. Nuair a tháinig Rory isteach dá sheal oibre ag a sé chuir sí Jim in aithne dó agus rug ar a mála. Obair chrua a bhí ann, duine nua a thraenáil, agus bhí fonn abhaile uirthi.

Ach díreach nuair a bhí sí ag an doras, tháinig Meiriceánach dúchasach isteach. Bhí an fear díreach cosúil le hIndiach a d'fheicfeá sna scannáin: culaith déanta as leathar donn, mocaisíní, péint chogaidh agus cleití iolair. Ar feadh soicind, cheap sí gur amadán éigin a bhí ann a bhí gléasta suas, ach ansin lean slua Indiach é. Chomhairigh sí ochtar Indiach is fiche ar fad agus ón gcaoi a raibh siad ag breathnú ar na biachláir ba léir go raibh ocras orthu. Chuaigh sí ar ais go dtí an cuntar. Bheadh cúnamh ó na buachaillí.

'Is breá liom na Village People,' a dúirt Rory de chogar, i nGaeilge.

'Fuist,' a dúirt Rebekka. 'Tuigfidh siad "Village People".'

'Dochreidte,' a dúirt Jim. 'Ní tharlódh seo in aon chaifé eile.'

'Is féidir leatsa dul abhaile má theastaíonn uait,' a dúirt Rory. 'Beidh muidne ceart go leor.'

Thug sí sonc sna heasnacha dó.

'An gceapann tú go bhfuilim chun cailleadh amach air seo?'

'Meastú cén treibh iad?' a d'fhiafraigh Jim.

'Cén chaoi a mbeadh a fhios agamsa?'
Ina hainneoin féin, bhí sí rud beag neirbhíseach. Bhí bogha agus mála leathair lán saighead ag duine de na hIndiaigh. Lig sí osna faoisimh nuair a chonaic sí gur fhág an fear faoin mbord iad.

Tar éis tamaill ghearr tháinig an chéad Indiach a tháinig isteach an doras suas go dtí an cuntar. Bhí ceannbheart an fhir seo chomh fada sin gur shín na cleití síos go talamh. Ba léir gurbh é ceannaire an ghrúpa é.

'Tabhair dhá phláta arán gairleoige le *salami* agus cáis do gach duine againn. Agus dhá bhuidéal Coca Cola freisin.'

Chuir sí na buachaillí isteach sa chistin. Thug sí féin na buidéil Coca Cola amach. Nach raibh an jaibín ab éasca tuillte aici? Bhí sí ag obair an lá ar fad cheana féin. Chaith na hIndiaigh an chéad bhuidéal siar in aon iarraidh amháin; thóg siad go réidh é ar an dara ceann.

'Tá na buidéil i bhfad níos mó sna Stáit,' a dúirt ceannaire an ghrúpa. 'Tá gach rud san Eoraip róbheag.'

'Ach amháin na mná,' a dúirt fear an bhogha agus na saighead, a bhí ina shuí trasna uaidh. Bhí meangadh ó chluas go cluas air agus bhreathnaigh sé díreach sna súile ar Rebekka.

Bhí an fear seo ar comhaois léi féin. Ní fhéadfadh an tríocha bliain a bheith slánaithe aige fós. Bhí súile áille, doimhne, dubha aige agus gruaig fhada a mheabhraigh síoda di.

B'fhuath léi gruaig fhada ar fhir go hiondúil; chuir sé comharsa béal dorais a tuismitheoirí in Lelystad i gcuimhne di, Johnny. D'fhuaimnigh Johnny a ainm féin ar bhealach tuathánach,

Ollannach – *Sjonnie* – agus chaith sé gach uile dheireadh seachtaine ag ní agus ag cur snasa ar an Opel Manta oráiste úd a bhí aige. Má bhí an lá go deas, shuíodh sé i gcathaoir phlaisteach in aice leis an gcarr ar feadh an tráthnóna ag déanamh bolg-le-gréin agus ag ól cannaí beorach. Chuireadh gruaig fhada Johnny, sleamhain le hola ghruaige, fonn urlacain uirthi. Ach bhí gruaig an Indiaigh seo chomh mín, chomh lonrach agus chomh díreach sin go raibh fonn uirthi ceist a chur air cén *shampoo* a d'úsáid sé.

'Ba bhreá liom gruaig mar seo a bheith agam.'

Sula raibh a fhios aici céard a bhí ar siúl aici bhí sí ag méiríneacht ar fholt ciardhubh an fhir, a bhí ceangailte ina thrilseán tiubh fada ar chúl a chinn.

Dúirt ceannaire an ghrúpa rud éigin i dteanga nár thuig sí agus phléasc gach duine ag an mbord ag gáire. Mhothaigh sí a leicne ag lasadh mar a bheadh soilse tráchta iontu. D'iompaigh sí agus theith chuig an gcuntar.

—

An lá dár gcionn bhí sí ag ligean a scíthe ag an bhfuinneog tar éis am lóin. Bhí spionn maith uirthi. Bhí Naoise ar ais agus bhí sé an-sásta leis an aire a bhí tugtha don chaifé aici. Bhreathnaigh sí ar na duilleoga, na málaí plaisteacha agus na nuachtáin a bhí á séideadh sa tsráid ag an ngaoth. Taobh amuigh dá siopa, bhí Bean Uí Dhónaill ag tabhairt treoracha do bhuachaill óg, garmhac léi, b'fhéidir, a bhí ina sheasamh ar dhréimire beag. Bhí Rebekka ag déanamh iontais céard a bhí ar bun acu nuair a sheas fear idir í agus an radharc. Bhrúigh an fear a shrón i gcoinne na fuinneoige agus rinne straois. Ba bheag nár léim sí óna stól.

An tIndiach ón oíche roimhe a bhí ann, fear an bhogha agus na saighead agus na gruaige áille. Bhí *jeans* gorma agus *hoodie* dearg ó

Ollscoil Ohio State á chaitheamh aige, ach d'aithin sí an trilseán álainn sin ar an toirt. Gan mhoill, bhí an fear ina sheasamh in aice léi, istigh sa chaifé.

'Céard sa diabhal? Chuir tú an croí trasna ionam!'

'Tá súil agam nár bhain mé geit ró-mhór asat. Bhí an chuma ort go raibh brionglóid lae álainn agat ansin, agus theastaigh uaim a bheith inti. I do bhrionglóid.'

Phléasc sí ag gáire dá hainneoin féin. Shuigh an fear síos in aice léi agus bhreathnaigh ar an mbiachlár.

'Tá tart orm.'

'Céard a bhéas agat? Coca Cola?'

Las loinnir ghrinn ina shúile.

'Ólaim Coke mar a bheadh uisce ann. Ní bhlaisim a thuilleadh é. Tá mé ag iarraidh rud éigin eile a thriail. Rud éigin nua. Céard a mholfá?'

Smaoinigh sí ar feadh tamaill. Ní raibh sí sna Stáit Aontaithe riamh, gan trácht ar thearmann de chuid na Meiriceánach Dúchasach. Mar sin féin, bhí íomhá éigin ina haigne den chineál áite inar tháinig an fear seo ar an saol. Drochthalamh, saol crua agus easpa inneall *espresso*.

'An raibh *espresso* agat riamh?'

'Ag Starbucks.'

'Tá Starbucks ar an tearmann agaibh?'

Rinne an tIndiach gáire.

'Ní Indiach de chuid an tearmainn mise. Tabhair Indiach de chuid na cathrach orm, más maith leat. Níos fearr fós, tabhair m'ainm féin orm.' Shín sé amach a lámh. 'Alex One Arrow. Is mór an onóir dom bualadh leat.'

'Rebekka Vogelzang. Agus is onóir domsa bualadh leatsa. Céard atá á dhéanamh anseo i nGaillimh agaibh?'

'Grúpa damhsóirí muid. Táimid in Amharclann na Cathrach ar feadh dhá oíche eile más maith leat teacht ag breathnú orainn.'

Chuimhnigh sí ar cheist Jim.

'Cén treibh sibh?'

'Treibh an mheascáin mhearaí. Lakota den chuid is mó, ach tá Shoshone agus Cheyenne nó beirt inár measc.

'Agus tusa?'

'Lakota.'

'Ach ní de chuid an tearmainn.'

'Rugadh ar an tearmann mé, ach – scéal fada. Tabhair *espresso* dom agus inseoidh mé duit é.'

'Tá go maith.'

Ag an gcuntar arís di, rinne sí a dícheall an *espresso* ab fhearr dá ndearna sí riamh a dhéanamh. Bhí sí bródúil go leor as a cumas leis an inneall, ach bhí custaiméirí áirithe ann arbh fhiú iarracht sa bhreis a dhéanamh ar a son. Mheil sí pónairí úra, bhrúigh an caife meilte isteach sa scagaire go teann, chas an scagaire isteach san inneall agus bhrúigh an cnaipe. A haon, a dó, a trí… Nuair a bhí sí ag fiche trí bhrúigh sí an cnaipe arís chun an t-uisce a stopadh. Fiche trí soicind: *espresso* foirfe. Sin mar a mhúin Naoise di é an chéad lá riamh agus ní dhearna sí dearmad air ó shin. Bhí cuma bhreá ar an gceann seo, pé scéal é. Bhí an cúr ar an mbarr tiubh agus díreach ar an dath ceart, gan a bheith ró-éadrom agus gan a bheith ródhorcha. Má bhí cur amach ag an Indiach cathrach seo ar *espresso*, d'fheicfeadh sé ar an toirt go raibh sí féin lán chomh maith leis. Chuir sí an cupán beag os a chomhair. Bhlais sé den chaife agus chuir strainc air féin.

'Aaah! Uisce tine! Tugann bean gheal deoch d'Indiach nach bhfuil maith dó!' Phléasc siad ag gáire.

Ar an taobh eile den tsráid, bhí garmhac Bhean Uí Dhónaill in airde ar an dréimire i gcónaí, ag útamáil le ciseán bláthanna. Bhí a lámha fáiscthe ar a chéile ar a hucht ag Bean Uí Dhónaill ag breathnú air. Ar feadh cúpla soicind, shíl Rebekka go dtitfeadh an buachaill bocht den dréimire, ach sa deireadh d'éirigh leis an ciseán a thógáil anuas.

'Indiach de chuid na cathrach thú, a dúirt tú.'

'Is ea. Ach rugadh ar thearmann Pine Ridge mé, in South Dakota, tráth ghabháil Wounded Knee sa bhliain 1973. Chuala tú faoi ghabháil Wounded Knee?'

Bhí uirthi a admháil nár chuala.

'Ghabh baill armtha de ghluaiseacht chearta sibhialta na Meiriceánach Dúchasach, an *American Indian Movement,* baile beag Wounded Knee i Mí Feabhra 1973, cúpla lá sular rugadh mise. Bhí go leor teannais sa tearmann an tráth sin. Idir na hIndiaigh agus an rialtas, ar ndóigh, ach idir na hIndiaigh féin freisin. D'aontaigh cuid acu leis an éirí amach ach bhí cuid eile ann nár aontaigh.'

Chaith sé siar a raibh fágtha dá *espresso* in aon iarraidh amháin.

'Abraimis go ndeachaigh m'athair agus cuid dá dhearbháireacha rud beag ó smacht ag an am. Le scéal fada a dhéanamh gearr, bhog mo mháthair amach ón tearmann agus thug sí mise léi, go Pierre ar dtús, go Chicago ina dhiaidh sin agus go Athens, Ohio ar deireadh. Ollamh sa Léann Meiriceánach Dúchasach í in Ohio State.' Tharraing sé ar éadach a *hoodie* chun na focail a bhí clóite ar a ucht a thaispeáint. 'Bean chliste í mo mham, an dtuigeann tú? Chuir sí oideachas tríú leibhéal uirthi féin agus scríobh sí leabhar, cuntas pearsanta ar an méid a tharla ar Pine Ridge.'

pioneer / leader

'Ceannródaí ceart í, is léir,' a dúirt Rebekka. 'Ba bhreá liom go mbeadh mo thuismitheoirí chomh réabhlóideach sin. Ach cigire cánach é m'athair agus cuntasóir í mo mháthair. An bhfuil dhá ghairm níos leadránaí ar domhan?'

'Bí cúramach lena n-iarrann tú.'

'Cén fáth?'

caught (up i-)

'Bhí mo mháthair chomh gafa sin lena céim agus lena slí bheatha san Ollscoil ina dhiaidh sin go raibh orm mé féin a thógáil.'

'Agus d'athair?'

'Bhí sé siúd chomh réabhlóideach sin gur cuireadh den saol é.'

'Ag an FBI, an ea?'

'Ní hea, ag fear Lakota eile. Réabhlóidí amháin ag caitheamh réabhlóidí eile sa droim. Le gunna seilge.'

Bhí domhan an fhir seo chomh difriúil lena taithí féin gur fhág a scéal Rebekka gan aon fhocal. Ach níorbh fhada gur ghlaoigh

Naoise ar ais go dtí a domhan féin í. Bhí grúpa turasóirí ón nGearmáin tar éis suí ag bord a dó agus theastaigh anraith uathu.

'Caithfidh mé imeacht,' a dúirt sí.

'Caithfidh mé féin imeacht freisin, tá cleachtadh againn i gceann fiche nóiméad. *Hey,* an dtiocfaidh tú go dtí an seó anocht?'

'Ba bhreá liom ach ní féidir liom. Tá mé ag obair go dtí a deich.' Gheall sí do Rory go gclúdódh sí a leath dá sheal oibre siúd dó; ní fhéadfadh sí dul siar air sin anois.

'Rebekka! Ceithre anraith do bhord a dó!' *Soups*

Rinne sí gáire leithscéalach le Alex.

'Caithfidh mé imeacht. Slán.' *handful*

Líon sí ceithre bhabhla anraith. Ach níor luaithe na cinn sin tugtha amach aici ná tháinig slám orduithe bia eile isteach. Nuair a bhreathnaigh sí i dtreo na fuinneoige arís bhí Alex One Arrow imithe.

Tamall ina dhiaidh sin rinne sí dearmad iomlán air. Bhí fuaim nár *boiling* aithin sí ag teacht as an inneall *espresso,* siosarnach gaile, ach ní raibh sí in ann a oibriú amach céard a bhí ann. Theastaigh uaithi ceist a chur ar Naoise faoi ach bhí seisean imithe abhaile.

An tráthnóna dár gcionn bhí Mártan Mussolini ina shuí ag cuntar *contact* na fuinneoige agus bhí a chupán folamh. Bhí a fhios ag Rebekka, gan teagmháil súl a dhéanamh leis nó labhairt leis, go raibh *cappuccino* eile uaidh. Aisteach, an chaoi a raibh aithne níos fearr aici ar chuid de chustaiméirí rialta Aiséirí ná ar chuid dá muintir féin.

Bhí neart custaiméirí ann a tháinig isteach gach lá sa bhliain nach raibh pioc aithne ag an bhfoireann orthu, daoine a d'ordaigh is a d'íoc ach nach ndearna comhrá ar bith. Cé gur tháinig siad isteach gach uile lá beo, níor chustaiméirí rialta iad sin.

Thuig custaiméirí rialta gur áit speisialta ba ea Aiséirí. Chuir na custaiméirí sin a gcuid fuinnimh sa chaifé agus thug an caifé fuinneamh nua ar ais dóibh. Ba chuid den bhús iad, cuid den chlann. Níor mhothaigh ná níor thuig gnáthchustaiméirí an t-idirghníomhú sin. Dóibhsean, ní raibh sa chaifé ach áit le hinstealladh caiféine a fháil nó ceapaire a ithe go sciobtha. Má bhí moill ar a gcaife toisc go raibh gné thábhachtach de shaol grá na foirne á plé sa chistin, rinne siad gearán. Thuig custaiméirí rialta gurbh é meon réchúiseach na foirne an rud ba mhealltaí faoin gcaifé agus go scriosfadh aon iarracht bealaí oibre éifeachtacha na sreangshiopaí caife a chur i bhfeidhm, draíocht na háite.

Draíocht. B'in an focal ceart. Cén áit eile a dtitfeadh ochtar Indiach is fiche as an spéir ann? Scaoil an t-inneall *espresso* puth mór gaile, as a stuaim féin, amhail is gur theastaigh ón rud a chur in iúl di gur aontaigh sé lena cuid smaointe. Rug sí ar an scagaire chun an *cappuccino* sin a dhéanamh do Mhártan nuair a tháinig Alex One Arrow ag rith isteach an doras, ag déanamh caol díreach ar an gcuntar.

'Rebekka, tabhair caife mór dom agus píosa den cháca seacláide sin. Tá rud éigin le ceiliúradh agam! D'fhág mé an grúpa!'

Thit an scagaire ar an urlár. Chrom sí síos chun é a phiocadh suas, thóg anáil dhomhain, chuir aghaidh stuama uirthi féin agus thug aghaidh ar an gcor nua seo ina saol.

'Ar mhaith leat uachtar le do cháca seacláide?'

'Ba mhaith, agus ar an gcaife freisin. Ba chinneadh mór é. Buachaill dána é Alex inniu. DrochIndiach!'

'An raibh siad ar buile leat?'

'Rud beag. Ach ní hé seo an chéad uair a d'fhág Indiach sorcas mar seo i lár camchuairte agus ní hé an uair dheireanach ach an oiread é. Is maith linn a bheith ag fánaíocht, an dtuigeann tú?'

Ghearr sí slisín mór den cháca seacláide agus chuir ar phláta é. Bhain sí gléas an uachtair choipthe as an gcuisneoir. Bhuail an fonn í croí uachtair a chur timpeall ar an gcáca ach choinnigh sí guaim uirthi féin. Chuir sí daba mór ar bharr an cháca, ceann eile ar bharr an chaife agus thug d'Alex iad.

'Ach cén fáth ar shocraigh tú an grúpa a fhágáil? Nach bhfuil tú ag iarraidh an domhan a fheiceáil?'

'Is breá liom taisteal. Ach anois díreach teastaíonn uaim aithne níos fearr a chur ar chuid áirithe den domhan.'

'Cén chuid?'

'An chuid seo.'

Rug Alex ar an gcáca lena lámh agus bhain plaic mhór as. Bhí uachtar agus seacláid dhorcha ar a mhéara agus timpeall ar a bhéal. Thosaigh Rebekka ag méirínteacht ar a cuid gruaige féin nuair nár bhain sé a shúile di. Ligh an tIndiach an t-uachtar dá bheola.

'Tá an radharc is deise ar domhan anseo os mo chomhair.'

Thall ag an bhfuinneog, bhí Mártan ag féachaint uirthi go mífhoighdeach. Líon sí an scagaire arís chun an *cappuccino* sin a dhéanamh.

'Bhuel, tá an t-ádh leat. Beidh mé taobh thiar den chuntar seo go dtí a sé a chlog.'

'Oireann sé sin go breá dom. Níl rud ar bith ba fhearr liom ná suí anseo ag breathnú ort.'

Níor bhog Alex óna stól ar feadh an tráthnóna, ach d'éirigh an caifé chomh gnóthach nach raibh deis ag Rebekka a bheith ag comhrá leis. Ar bhealach, bhí sí sásta faoi sin. Ba mhinic a bhris béal duine a shrón agus bhí a fhios aici go rímhaith gur thapúla a teanga féin ná a meabhair. Bhí sí sásta an chumarsáid a fhágáil faoina colainn go fóillín beag. Mhothaigh sí súile Alex uirthi agus í ag gluaiseacht sall is anall idir na boird, an cuntar agus an chistin, ach níor chuir sé as di. Ní hionann agus roinnt fear a thagadh go dtí an caifé, bhreathnaigh Alex uirthi le hurraim agus le meas. Mhothaigh sí álainn agus grástúil. Nuair a tháinig Rory agus Jim isteach chaith sí a naprún faoin gcuntar.

'Críochnaithe!'

'Cá ngabhfaimid?' a d'fhiafraigh Alex.

A bolg a rinne an cinneadh di.

'Rachaimid Tí Monroe. Níl sé ach timpeall an chúinne agus tá *pizza* an-mhaith acu freisin. Ocras ort?'

'Tar éis an cháca seacláide sin?'

Rinne sí gáire cúthaileach. shy

'Tá ocras ormsa.'

D'ordaigh siad *pizza*. Shuigh siad síos i mboth in aice leis an bhfuinneog, pionta Guinness an duine acu. Ach fiú gan an pórtar, bhí an comhrá eatarthu chomh nádúrtha gur mhothaigh Rebekka níos mó ná uair amháin go raibh aithne aici ar Alex ar feadh a saoil ar fad – cúpla saol, b'fhéidir. D'inis sí dó faoina cuid ealaíne, faoin eachtra leis an ngraifítí agus faoin gcaoi nár éirigh léi scuab a chur ar chanbhás ó shin.

Níor thug siad faoi deara go raibh an *pizza* i bhfad ag teacht agus nuair a tháinig sé, ba ar éigean a thug siad faoi deara go raibh sé ann. Bhí an spéir taobh amuigh den fhuinneog lán réaltaí faoin am ar rug Alex ar an slisín deireanach. Choinnigh sé an *pizza* fuar le béal Rebekka agus lig di plaic a bhaint as. Shil sail an *pepperoni* síos a smig, cheangail sreangáin tanaí cáise a béal le lámh Alex. Solas na gealaí os a gcionn.

'Ba bhreá liom na réaltaí os cionn Pine Ridge a thaispeáint duit. Níl a shárú de spéir oíche áit ar bith eile ar domhan,' a dúirt Alex sular chuir sé an crústa ina bhéal.

Bhuail guthán póca Rebekka. Uimhir Aiséirí a bhí ann. D'fhreagair sí, fós ag cogaint. — *chewing*

'Haidhe, céard é an scéal?'

Rory a bhí ann. Bhí sé trí chéile.

'Rebekka, an féidir leat teacht le do thoil? Tá fadhb leis an inneall *espresso*. Níl brú ar bith fágtha ann. Níl ach sileán uisce ag teacht amach as.'

'Cuir glaoch ar Naoise, tá mise saor anocht.'

'Tá míle glaoch curtha agam ar Naoise, ach tá an fón casta as aige. Ceapaim go bhfuil coinne aige le hIodálach éigin. D'iarr sé orainn ár gcuid sosanna féin a chlúdach anocht.'

'Tá coinne.….' Bhreathnaigh sí ar a huaireadóir. A hocht. Bheadh sé gnóthach in Aiséirí go ceann cúpla uair an chloig. 'Rory, fan ansin. Beidh mé ann i gceann cúig nóiméad.'

Chroch sí suas.

'Tá brón orm, ach tá fadhb sa chaifé. Tá orm dul ar ais.'

Bhreathnaigh Alex uirthi amhail is nár aithin sé í a thuilleadh.

'Tá ort dul ar ais? Ach shíl mé....'

'Tá sé seo tábhachtach. Níl an t-inneall *espresso* ag obair.'

D'éirigh sí ina seasamh ach rug Alex ar a lámh.

'Shíl mé go raibh rud éigin le ceiliúradh againn anocht! D'fhág mé an grúpa damhsa, nach cuimhin leat? Shíl mé gur mhothaigh tusa freisin go bhfuil ceangal speisialta eadrainn.'

'Mothaím, ach....'

Ba é an t-inneall *espresso* croí an chaifé, an chumhacht a choinnigh an bús, an draíocht agus scipéad an airgid ag imeacht. B'ionann teach caife gan chaife agus teach pobail gan fíon coisricthe.

'...Ach tá an caifé níos tábhachtaí.' D'éirigh Alex agus tharraing a chóta air. 'Oíche mhaith,' a dúirt sé, agus d'fhág.

An oíche sin, sa leaba, léi féin, níor éirigh le Rebekka codladh. Bhí imeachtaí an lae agus na hoíche á gcasadh timpeall ina haigne aici féachaint an raibh ciall ar bith le baint astu, ach bhí ag dul di.

— needle/
pointer

Theip uirthi, fiú amháin, a oibriú amach cén chaoi ar éirigh léi caoi a chur ar an diabhal inneall *espresso* sa deireadh. Ní raibh brú ar bith fágtha ann nuair a bhain sí Aiséirí amach – bhí an tsnáthaid ag náid. Bhain sí triail as gach ceann de na cnaipí. Chas sí an

2ero

t-inneall as agus air arís. Sheiceáil sí píobáin an uisce. Sa deireadh chuir sí féin glaoch ar Naoise agus d'fhág teachtaireacht chantalach. Díreach nuair a chroch sí suas an fón chuala sí torann ard a bhí cloiste go minic cheana aici: torann an innill *espresso* ag tógáil uisce isteach. Ar éigean a chreid sí an scéal nuair a chonaic sí an tsnáthaid ag ardú ó náid go dtí a haon, óna haon go dtí a dó, go dtí go raibh sé ag nócha.

Ach ba í ceist an innill ba lú a bhí ag cur as di. Cén fáth a raibh Alex chomh maslaithe, amhail is go raibh cor á chur aicise, go pearsanta, sa chinniúint? Céard a bhí ann, ag deireadh an lae, ach cúpla pionta agus *pizza*? Níor iarr sise air an grúpa damhsóirí úd a fhágáil. A chinneadh féin a bhí ansin. Ar an lámh eile, ní fhéadfaí a shéanadh go raibh an rud ar fad an-rómánsúil. Ní dhearna fear ar bith eile íobairt mar sin riamh di. Ansin tháinig craiceann lonrach donn Alex agus a chuid gruaige, a bhí chomh dubh go raibh sé beagnach gorm, isteach ina haigne, agus níor fhág siad. Mhothaigh sí amhail is nach raibh a súile ach dúnta aici nuair a dhúisigh glór srónach an léitheora nuachta ar Raidió na Gaeltachta as a cuid brionglóidí í.

'Tá sé a seacht a chlog ar maidin agus seo iad na cinnlínte nuachta, á léamh ag….'

Thug sí buillle chomh láidir sin don chlog aláraim gur leaindeáil an rud mallaithe i lár urlár a seomra codlata. Ní hamháin go raibh díomá agus tuirse an domhain uirthi, bhí uirthi an caifé a oscailt. Thóg sí cith sciobtha agus tharraing a cuid éadaí uirthi.

Cúig nóiméad déag ina dhiaidh sin bhí na cathaoireacha á mbaint anuas de na boird aici. Ba bheag nár chiceáil sí ceann acu trasna urlár an chaifé nuair a chonaic sí an chistin. Ba léir go raibh deifir abhaile ar Rory agus Jim aréir: bhí an áit ina chac. Ní raibh an gríoscán glanta, ní raibh pota mór an anraith nite agus, níos measa ná rud ar bith eile, ní raibh oiread is tuáille tae tirim san áit. Bhí an mála mór do na tuáillí tae salacha ag cur thar maoil agus bhí boladh bréan uathu. An é sin an buíochas a bhí tuillte aici i ndiaidh di a hoíche amuigh a mhilleadh? D'íosfadh sí an cloigeann díobh nuair a thiocfaidís isteach ag a sé.

Norma-Jean a bhí ag obair léi i rith an lae. Níor thóg sé i bhfad uirthi sin a oibriú amach go raibh drochghiúmar uirthi.

'Céard atá cearr leat?' a scairt Norma-Jean anall ó chuntar an innill *espresso* nuair a chaith Rebekka babhla isteach sa doirteal de ráig. 'An é an t-am sin den mhí atá ann?'

Ba mhaith an rud é gurb í June an t-aon chustaiméir a bhí istigh. Duine de charachtair na Gaillimhe, seanbhean a chaith a saol ar fad ar shráid Aiséirí ba ea June. Bhí sí chomh bodhar le slis.

'Ní hé!' Chuir Rebekka tráidire lán bonnóga isteach san oigheann agus d'inis do Norma-Jean faoinar tharla an oíche roimhe fad a sheiceáil sí na comhábhair do na ceapairí.

'Tá an leaid aisteach,' a dúirt Norma-Jean nuair a bhí Rebekka críochnaithe. 'Cén fáth nach gcuireann tú glaoch air?'

'Níl a uimhir agam. Beidh orm fanacht go dtí go dtiocfaidh sé isteach anseo arís.' Tharraing sí a cóta uirthi agus rinne ar an doras. 'Caithfidh mé dul chuig an siopa glasraí síos an bóthar mar níl aon rud agam chun an t-anraith a dhéanamh. Beidh mé ar ais gan mhoill.'

Tháinig sí ar ais le mála ollmhór cairéad ar a droim. Chaith sí an mála ar urlár na cistine. Bhí uirthi na hoinniúin a ghearradh agus a fhriochadh ar dtús. Bhí an dromchla oibre fós clúdaithe i bplúr na mbonnóg ach níor bhac sí é a ghlanadh, bhí an iomarca deifre uirthi anois. Chuir Norma-Jean a ceann isteach sa chistin.

'An ndéanfaidh tú *croissant* le cáis agus liamhás do June?'

Thiocfadh leat brath ar June bia a ordú nuair a bhí míle rud idir lámha aici cheana féin.

'Má dhéanann tusa muga caife domsa. Ceann le ceithre steall *espresso.*'

Bhain sí an craiceann de na hoinniúin agus ghearr ina bpíosaí beaga iad. Bhí sí ar tí iad a chaitheamh isteach i bpota mór an anraith nuair a chuimhnigh sí nach raibh an diabhal ruda sin nite fós. Dia á réiteach, bheadh a thuilleadh moille uirthi fós.

'Norma-Jean! Ar mhiste leatsa pota an anraith a ní má bhíonn soicind agat? Tá deich gcileagram de chairéid le gearradh agamsa anseo.'

Tháinig Norma-Jean anall agus thosaigh ag obair ar an bpota, a bhí chomh mór sin go bhféadfá brachán do theach lán bochtán a dhéanamh ann. Ní raibh spás sa doirteal chun é a ní toisc go raibh an sconna os cionn an doirtil sa bhealach. Ní raibh rogha ag an bhfoireann ach an pota a chur síos ar urlár na cistine agus é a ní ansin.

'Inis dom faoin Indiach sin agat, pé scéal é,' a dúirt Norma-Jean agus í ag taoscadh uisce isteach i bpota an anraith le sáspan mór.

'Níl aon rud le rá faoi i ndáiríre.' Bhí na cairéid mhóra, thiubha á ngearradh ar luas lasrach ag Rebekka, leis an scian ba ghéire sa teach.

'Fear tipiciúil, is léir. Ar mire mura bhfaigheann sé a bhfuil uaidh ar an bpointe boise.'

Choill sí cairéad eile.

'Déarfainn go raibh díomá an domhain air nach raibh deis aige a mhaide tótaim a thaispeáint duit!'

Lig Norma-Jean liú ard gáire aisti, ach chlúdaigh sí a béal lena lámh i lár an liú. Bhí bean bheag i gcóta bán ina seasamh i mbéal na cistine, a cuid gruaige ceangailte siar go teann ar chúl a cinn. Bhí clár plaisteach a raibh foirm oifigiúil fáiscthe air i lámh amháin aici agus peann sa lámh eile.

'Céard faoin spéir atá ar siúl anseo?'

'Áaú!' Ghearr Rebekka a méar de gheit.

'Lig dom mé féin a chur in aithne,' a dúirt an bhean sa chóta bán. 'Clíona Savage, an t-oifigeach sláinte comhshaoil.'

Chuir Rebekka an scian síos. Buíochas le Dia, ní raibh an gearradh ró-dhomhain. Chuir sí a hordóg ina béal agus shín a lámh eile amach chuig an gcigire sláinte, ach dhiúltaigh sise a lámh a chroitheadh.

'Tá a fhios agam go bhfuil os cionn bliana ann ó bhí mé anseo an uair dheireanach, ach feicim go raibh sé thar am athchuairt a thabhairt oraibh. Céard sa diabhal atá ar siúl agaibh leis an bpota sin? Níor cheart go mbeadh rud ar bith á ní ar an…. ' Chas sí i dtreo Rebekka. 'Agus tusa! Nár chuala tú faoi thrastruaillliú riamh? Níor cheart go mbeadh bia amh á láimhseáil san áit chéanna a ndéantar ceapairí!'

Shín an cigire a méar i dtreo *croissant* leathchríochnaithe June, a bhí ina luí idir na cairéid ghearrtha.

'Agus tá an dromchla oibre seo clúdaithe le plúr! Agus cá bhfuil bhur mbrait ghruaige?'

D'fhág Norma-Jean an pota lán uisce i lár an urláir agus chuaigh fad leis an gcuntar.

'Tá mise chun glaoch a chur ar Naoise, an t-úinéir.'

'Smaoineamh maith,' a dúirt an cigire.

Tharraing Rebekka anáil dhomhain.

'A Chlíona – an féidir liom Clíona a thabhairt ort? Lig dom cúrsaí a mhíniú duit. Is é an chaoi ar aimsigh tú ar muid ar dhrochlá ….'

'Ní thuigim thú.'

Bhreathnaigh an cigire ar Rebekka amhail is go raibh Gréigis á labhairt aici.

'Gabh mo leithscéal,' a dúirt Rebekka, ag fuaimniú gach uile fhocal go cúramach le go dtuigfeadh an cigire í. 'Níl ann ach go….'

Thosaigh polláirí sróin an chigire sláinte ag crith.

'Ní labhraím Gaeilge. Beidh ort Béarla a labhairt.'

Tharraing Rebekka anáil dhomhain eile. Bhí sí ar tí a rá go raibh cead bunreachtúil ag pobal na Gaeilge a dteanga féin a úsáid le heagraíocht stáit ar bith, ach nuair a chonaic sí an riocht a bhí ar an chistin shocraigh sí gurbh fhearr gan a thuilleadh feirge a chur ar an mbean seo. D'iompaigh sí ar an mBéarla.

'A Chlíona, an rud a bhí mé ag iarraidh a rá ná nach bhfuil ann ach gur tháinig tú isteach ar dhrochlá.'

'Feicim sin. Ní gá duit é a insint dom.'

Chuala Rebekka custaiméirí ag teacht isteach, an triúr úd ón oifig dlíodóirí síos an bóthar. Beirt bhan agus fear amháin, dhá chaife bhána agus muga dubh. Buíochas le Dia chuir Norma-Jean ceol teicneó ar siúl go hard le nach gcloisfidís racht an chigire sláinte amuigh ansin. Thosaigh sí sin ag breacadh síos nótaí ar a clár i scríbhneoireacht chruinn chearnógach.

'Lig dom breathnú ar na cuisneoirí agus araile.'

Clic cleaic na hoifigiúlachta ar urlár na cistine. Do Rebekka, b'ionann fuaim na sál ard ag an gcigire ar na leacáin agus scríobadh ingne ar chlár dubh. Ba léise an chistin seo; ba í a tearmann í. Bhí sí chomh naofa le ceardlann ealaíontóra. Gan choinne, tháinig cuimhne an lae úd a raibh uirthi an píosa graifítí sa chlós súgartha ag an gCanáil a ghlanadh, aníos ina haigne. Mhothaigh sí pian ghéar ina bolg; tháinig fonn urlacain uirthi. Chuardaigh a lámha rud éigin le déanamh, rud éigin a chuirfeadh an ruaig ar an gcuimhne agus a chiúnódh na néaróga. Rug sí ar an scian agus thug faoi na cairéid an athuair. Ach thiontaigh an cigire sláinte chuici ar an toirt, mar a bheadh nathair nimhe a bhí ag fanacht go ndéanfadh a creach botún.

'Agus ceapann tusa gur féidir leat bia a láimhseáil agus d'ordóg ag cur fola? Cuir greimlín uirthi go beo!'

Mhothaigh Rebekka allas ag sileadh lena droim. Bhí deora feirge ag priocadh taobh thiar dá súile, ach choinnigh sí smacht uirthi féin.

'Beidh orm dul trasna an bhóthair chun bosca acu a cheannach.'

'Ná habair liom nach bhfuil bosca garchabhrach sa chistin seo!'

'Tá, ach tá sé folamh ó….'

Shocraigh Rebekka gurbh fhearr di gan rud ar bith eile a rá. A hordóg ina béal, sheas sí i mbéal na cistine lena chinntiú nach bhfeicfeadh custaiméirí an cigire ag clic-chleaiceáil timpeall.

Bhí an fhuil stoptha faoin am ar tháinig Naoise isteach ón tsráid, a ghruaig in aimhréidh agus éadaí air a chaithfeá chuig club damhsa – club damhsa aerach. Theagmháigh a súile. Theastaigh uaithi a chur in iúl dó go raibh brón uirthi, go raibh drochoíche aici an oíche roimhe, ach ní raibh an deis aici. Sheas Clíona Savage eatarthu.

'Naoise, níl a fhios agam cá dtosóidh mé.'

'Tá a fhios agam go bhfuil cúrsaí rud beag trí chéile inniu….'

Dhún sé a bhéal nuair a chonaic sé pota an anraith lán uisce i lár urlár na cistine.

'Tar anseo,' a dúirt an cigire, ag déanamh ar an gcuisneoir leis na comhábhair do na ceapairí. Rinne Naoise mar a dúradh leis. D'oscail an cigire doras an chuisneora agus tharraing a méar ar an séala rubair a bhí timpeall ar an doras ar an taobh istigh. Ansin choinnigh sí a méar faoi shrón Naoise. Bhí barr a méire clúdaithe le smúit dhubh, shailleach.

'Ar mhaith leat seo ar do cheapaire?'

Dhún an cigire an cuisneoir de phreab. Chlic-chleaiceáil sí trasna an urláir i dtreo an ionad stórála faoi staighre na gcomharsan.

'Tá an solas briste anseo,' a dúirt sí agus rinne nóta eile ar a clár. Bhain sí a guthán póca amach agus thosaigh ag útamáil ar an méarchlár. Tar éis tamaillín las solas geal bán ag barr an ghutháin. Chuaigh sí isteach san ionad stórala ar a cromada.

Chlúdaigh Rebekka a haghaidh lena lámha. Na seilidí! Bhí dearmad glan déanta aici na seilidí a lua le Naoise.

Níor éirigh fiú le callán an cheol teicneó a bhí á chasadh ag Norma-Jean scread uafáis an oifigigh shláinte chomhshaoil a mhúchadh.

7

Ba é Mártan Mussolini an chéad duine istigh. D'fhan sé ina sheasamh sa doras agus bhreathnaigh timpeall air féin.

'Dia ár réiteach,' a dúirt sé. 'Ar éigean a aithním an áit!'

'Ná bí buartha,' a dúirt Rebekka. 'Níor athraigh muid blas an chaife.'

Bhí sí féin, Naoise agus Norma-Jean ina seasamh taobh thiar den chuntar. Ar éigean a bhí sí féin in ann a chreidiúint a oiread oibre a bhí curtha díobh acu in imeacht seachtaine. Bhí an áit bainte as a chéile, glanta, sciúrtha agus curtha ar ais acu. Ní raibh an phéint úr dhonnrua ar na ballaí ach triomaithe; bhí an chistin chomh glan agus chomh bán sin gur ghortaigh sé na súile.

Ach ní raibh an chuma athnuaite chéanna ar Naoise. Dar le Rebekka gur aosaigh seisean seacht mbliana sa seacht lá a bhí an caifé dúnta. Bhí loig dhorcha faoina shúile, bhí cuma ní ba dhoimhne ar na roic ina éadan agus thabharfadh sí an leabhar go raibh a chuid gruaige féin tar éis dul i léithe thar mar a bhíodh.

Níor cheart dó a bheith chomh dian sin air féin, a shíl sí. I ndeireadh na dála, b'eisean a shábháil Aiséirí. Sula raibh deis ag an oifigeach sláinte comhshaoil an caifé a dhúnadh dúirt Naoise léi go raibh an áit le dúnadh ar feadh seachtaine pé scéal é, an lá dár gcionn, chun athchóiriú iomlán a dhéanamh. Chreid sí é, ach ar ndóigh, ní raibh rogha ag Naoise ach beart a dhéanamh de réir a bhriathair. Gheall Clíona Savage go mbeadh sí ar ais laistigh de choicís agus go ndúnfadh sí an áit gan aon agó dá bhfeicfeadh sí oiread agus rud amháin nár thaitin léi.

'Bhí tromluí agam fúithi arís, aréir,' a dúirt Naoise le Rebekka agus Norma-Jean tar éis dó *cappuccino* a thabhairt do Mhártan. 'Tosaíonn na brionglóidí ar fad ar an mbealach céanna. Deir sí: "Naoise, níl a fhios agam cá dtosóidh mé." Agus ansin, díreach ag an bpointe a osclaím mo bhéal chun í a fhreagairt, tarlaíonn rud éigin. Arú aréir, tháinig pucha isteach sa chistin. Aréir, thuirling damhán alla ón síleáil, díreach idir m'aghaidh agus a haghaidh sise.'

'Gabh i leith, a Naoise,' a dúirt Norma-Jean. 'Bí sásta nach bhfuil tú ag siúl amach leis an mbitseach. Samhlaigh é! Tá sí ar tí dul síos ar a buachaillchara nuair a bhreathnaíonn sí ar a bhod, á rá: 'Cén fad ó nigh tú an rud seo?'

Thiocfadh leat brath ar Norma-Jean greann gáirsiúil a bhaint as sochraid, ach níor éirigh léi meangadh gáire a mhealladh ó Naoise. Bhí seisean ag breathnú ar an doras amhail is go bhféadfadh an t-áibhirseoir féin teacht isteach nóiméad ar bith.

'A Rebekka, an bhféadfainn labhairt leat go príobháideach ar feadh nóiméid?'

An tuiseal gairmeach sin arís. Thosaigh a croí ag preabadh. Níor inis sí do Naoise riamh go raibh na seilidí sin feicthe aici cúpla lá roimh chuairt Chlíona. An raibh sé sin oibrithe amach aige? Agus ba í a bhí ag obair an mhaidin mhallaithe sin. Má bhí an locht ar dhuine ar bith faoin eachtra ar fad, ba uirthi a bhí sé.

Shuigh siad síos ag an bhfuinneog. I solas geal na maidine bhí cuma ní ba dhoimhne fós ar na roic ar éadan Naoise. Rinne sí a míle dícheall na néaróga a choinneáil faoi smacht, ach thosaigh a cos chlé ag crith as a stuaim féin. Níor oscail Naoise a bhéal ar chor ar bith.

'Céard atá cearr?' a d'fhiafraigh sí faoi dheireadh.

Tharraing Naoise a lámh trína chuid gruaige. Bhí bearradh gruaige ag teastáil go géar uaidh.

'Níl mé in ann chuige seo a thuilleadh.' *[I can't take any more of this]*

'Chuig céard?'

'An áit seo. Teach caife a bhainistiú.'

Mhothaigh sí pian ghéar ina goile. Cinnte ní fhéadfadh Naoise an caifé a dhúnadh, tar éis na hoibre ar fad a bhí déanta acu?

'Maidin Dé Céadaoin d'fhág mé sibh libh féin ag glanadh, an cuimhin leat?'

'Bhí tú ag an mbanc.'

'Bhuel, ní raibh. Bhí mé ag an dochtúir. Bhí cliseadh *[breakdown]* de chineál éigin agam an mhaidin sin. Bhí tinneas cinn uafásach orm agus mhothaigh mé mar a bheadh céad míle dreancaid ag siúl trí mo chorp, díreach faoin gcraiceann.' *[fleas]*

Tharraing rud éigin taobh amuigh den fhuinneog aird Naoise. Lean Rebekka líne a shúl, féachaint céard a bhí ann. Bhí Bean Uí Dhónaill ina seasamh in aice le doras a siopa, ag caint le Eddy Tehan ón siopa crua-earraí. Stop an bheirt acu ag caint nuair a chonaic siad Naoise ag breathnú orthu.

'Dúirt an dochtúir go raibh mé an-ghar do chliseadh meabhrach, nó níos measa. Dúirt sé go dtiocfadh taom *[attack]* croí orm laistigh de bhliain mura ngearrfainn siar go mór ar m'ualach oibre.'

'Dia ár sábháil.'

'Rebekka....' Tharraing sé anáil dhomhain. 'An bhféadfá-sa an caifé a bhainistiú dom? Ní bheadh i gceist ach laethanta na seachtaine,' a dúirt sé sula raibh deis aici freagra a thabhairt. 'Beidh mé féin in ann aire a thabhairt don áit ar an Satharn agus ar an Domhnach.'

Bhreathnaigh sí ar Norma-Jean, a bhí sna trithí gáire le Mártan faoi rud éigin.

'Céard faoin gcuid eile den fhoireann? Ar chuir tú ceist ar Norma-Jean? Bhí sise ag obair anseo i bhfad sular chuir mise cos thar tairseach.'

'Níl Norma-Jean ach bliain is fiche d'aois. Tá sí i mbliain na céime san Ollscoil. Ní bheadh sé féaráilte ceist a chur uirthi. Anuas air sin is dóigh liom gur tusa an t-aon duine san áit seo, taobh amuigh díom féin, a bhfuil leath-thuairim aici faoin gcaoi ar cheart áit mar seo a choinneáil le chéile.'

'Ba bheag nár dúnadh an áit síos an lá deireanach a bhí mé ag obair.'

'Ach beidh cúrsaí difriúil as seo amach. Cuirfimid córas glantacháin úrnua i bhfeidhm. Céard a déarfá? An nglacfaidh tú leis an tairiscint? Ar ndóigh, bheadh ardú pá i gceist.'

Tháinig slua beag scoláirí isteach an doras ón Scoil Bhéarla d'eachtrannaigh ar an taobh eile de Pháirc an Athar Uí Ghríofa. Bhí sé leathuair tar éis a deich cheana féin, mar sin. Bheadh an fear agus an bheirt bhan ó oifig na ndlíodóirí béal dorais, istigh gan mhoill ag triall ar chaife bán agus dá mhuga dhubha. Ansin bheadh sé in am an t-anraith a mheascadh agus a bhreacadh ar an gclár dubh. Bhí cuid den arán fós le piocadh suas ón mbácús agus ba cheart go mbeadh na tuaillí tae réidh ag an níolann díreach in am do rabharta an lóin….

B'fhéidir go raibh an ceart ag Naoise. Ba chuid dá meabhair é an caifé agus ba chuid den chaifé í a meabhair. Níor shamhlaigh sí í féin ina bainisteoir ar theach caife riamh. Níorbh é a bhí pleanáilte aici nuair a tháinig sí go Gaillimh, ach chuir an smaoineamh go mbeadh sise i mbun draíocht na háite – ó Luan go hAoine, pé scéal é – creathán pléisiúir tríthi. Ba chuiteamh é ar theip a slí bheatha mar ealaíontóir, ach ardú céime a bhí ann in arm na cúise. Anuas air sin, bhí Naoise ag brath uirthi. Rug sí ar a lámh.

'A Naoise, ar ndóigh glacfaidh mé le do thairiscint. Is mór an onóir dom é.'

—

Níor inis Clíona Savage bréag nuair a dúirt sí nach mbeadh sé i bhfad go mbeadh sí ar ais. Thug sí cuairt eile ar Aiséirí dhá lá tar éis na hathoscailte. Ar feadh leathuair an chloig, lean Naoise agus Rebekka í, tríd an gcistin, taobh thiar de chuntar an innill *espresso* agus isteach sna leithris, ag guí nach raibh dearmad déanta acu ar rud ar bith. Níor chreid Rebekka i nDia, ach taobh thiar dá droim, choinnigh sí corrmhéar agus méar fáinne a láimhe deise trasna ar a chéile ar feadh an ama, mar a dhéanadh sí fadó agus í féin, Machteld agus páistí eile na comharsanachta ag déanamh na bhfolachán. Seans gur chuidigh an deasghnáth beag, mar ag deireadh a cuairte d'fhógair Clíona Savage go grod go raibh an t-ádh dearg le hAiséirí. Níor éirigh léi rud ar bith mícheart a aimsiú.

Nuair a bhí sí imithe, las Naoise maide túise agus chroith san aer é, amhail is go raibh an ruaig á cur ar ainspiorad aige.

—

Bhí an oiread rudaí tar éis tarlú nach raibh an t-am ná an fuinneamh ag Rebekka a bheith ag smaoineamh ar Alex One Arrow. Níor rith sé léi go raibh sí tar éis dearmad glan a dhéanamh air go dtí go raibh sé ina sheasamh os a comhair ag an gcuntar, tráthnóna dorcha i lár an Fhómhair.

'Tá cuma na báistí air,' a dúirt sé.

'Fáilte go Gaillimh.'

Bhí Rebekka ag líonadh málaí plaisteacha de chuid an bhainc le boinn airgid. Jaibín fadálach a bhí ann, na boinn ar fad a chomhaireamh, ach bhí ar dhuine éigin é a dhéanamh. Chaith sí na málaí a bhí déanta aici isteach i mbosca cartúis agus chuir sí an bosca isteach san ionad stórála faoi staighre na gcomharsan. Bhí siad sábháilte ansin.

Bhí Alex fós ina sheasamh ag an gcuntar. Rinne sí gáire béasach leis. Leigheasann an t-am gach uile ní, a dúirt sí léi féin. Pé scéal é, ar éigean a bhí am aici do shaol grá anois agus na cúraimí nua seo ar fad uirthi. D'ordaigh Alex muga caife agus cáca seacláide.

'Rud éigin le ceiliúradh agat?'

'Thiocfadh leat a rá go bhfuil. Fuair mé post. San Ollscoil. San Ionad Cearta Daonna.'

'Comhghairdeas. Uachtar leis?'

'Ní bheidh, go raibh maith agat. Níor cheart dom dul thar fóir. Mo mham a fuair an post dom, i ndáiríre. Tá aithne mhaith aici ar an Ollamh atá i gceannas ar an Ionad.'

Chuir Rebekka an cáca agus an caife os a chomhair. Rinne sí cinneadh go gcaithfeadh sí le Alex mar a chaith sí le custaiméir ar bith eile.

'Seo duit.'

'Go raibh maith agat.'

tg de

Thóg Alex an cáca agus an caife agus shuigh síos ag an bhfuinneog. Bhain Rebekka an fillteán ina raibh sceideal oibre an chaifé amach as an gcófra faoin gcuntar. Bhí uirthise an sceideal a chur le chéile anois ó sheachtain go seachtain, agus ba mhór an crá croí é. Ba chuma cén chaoi ar eagraigh sí an diabhal ruda, ní raibh duine ar bith sásta riamh. Ina theannta sin, bhí Rory agus Norma-Jean ag iarraidh gearradh siar ar líon na n-uaireanta a d'oibrigh siad: bhí tráchtais le scríobh acu. Bhí poll mór i sceideal na seachtaine dár gcionn.

Bhí a fhios ag Rebekka gur tháinig agus gur imigh oibrithe i dtithe caife mar a tháinig agus mar a d'imigh na séasúir, ach fuair sí amach nach raibh an scéal ró-dhona in Aiséirí ar chor ar bith i gcomparáid le tithe caife eile – ba chosúil go raibh stádas éigin ag baint le post freastail i dteach caife neamhspleách, le hais na sreangshiopaí caife. Bhí a fhios aici ó Liam, a d'oibrigh i gceann acu, nár mhair freastalaithe sna háiteanna neamhphearsanta sin ach cúpla mí ar a mhéid. Mar sin féin, bhí foireann Aiséirí athraithe ó bhun go barr faoin am a raibh sé ina shamhradh arís.

Bhí Jim tar éis bogadh go Corcaigh chun tosú sa choláiste ansin; bhí céim bainte amach ag Rory agus Norma-Jean agus bhí siad tar éis imeacht leo. Chuaigh Norma-Jean ag taisteal go dtí an Astráil; chuaigh Rory abhaile go Tír Chonaill chun Gaeilge a mhúineadh i gcoláiste samhraidh. Bhí sé chun aghaidh a thabhairt ar Londain ina dhiaidh sin, a luaithe is a bhí a phócaí líonta aige. Bhí Rebekka croíbhriste ina ndiaidh, ach chuir na hoibrithe nua a phioc sí féin agus Naoise amach fuinneamh úr san áit.

Ar ndóigh thóg Liam áit Rory, ach taobh amuigh de siúd bhí sé deacair teacht ar chainteoirí Gaeilge a bhí sásta oibriú i dteach caife – theastaigh ó gach cainteoir Gaeilge óg a bheith ar an teilifís. D'fhostaigh siad Jasmin, cailín as Providence, Rhode Island, a bhí in Éirinn chun an fhidil a fhoghlaim agus Laurent, mac léinn iarchéime ó Québec a bhí i nGaillimh chun tráchtas a scríobh ar chearta teanga. Íorónta go leor, ní raibh fonn ar bith ar Laurent Gaeilge a fhoghlaim. Mheas Rebekka gur chun staidéar a dhéanamh ar chailíní Gaelacha, agus ní ar a gcearta teanga, a tháinig sé go hÉirinn. Dá mhéid a shuim i gcearta teanga, ba bheag an meas a bhí aige ar chearta ban.

Chuir eachtraí Laurent taobh amuigh den chaifé samhnas ar Rebekka ach dá mhí-ionraice a bhí sé i gcúrsaí leapa, bhí sé ar dhuine de na hoibrithe ab fhearr agus ba dhílse dá bhfaca sí riamh. Ba chuma cé chomh dona is a bhí an phóit a bhí air, thagadh sé isteach chuig an obair deich nóiméad roimh thús a sheal oibre. Bhí sí in ann brath air má bhí éigeandáil ar bith ann agus murar leor Laurent amháin chun poll práinneach sa sceideal a líonadh, chuir sí glaoch ar Péter, a bhí fós ina chónaí sa teach ag an bPóirse Caoch. Níor mhiste leisean corr-sheal oibre a dhéanamh. Cheap sé go maródh gnáthphost rialta a chuid inspioráide, ach thuig sé nár leor dán amháin in aghaidh na míosa chun soláthar seasmhach Jacob's Creek a mhaoiniú.

Bhí an saol ag athrú. Rinneadh club *strip* de theach tábhairne Taylor's agus má bhí na nuachtáin le creidiúint bhí an Eoraip agus Meiriceá faoi shíorbhagairt ó sceimhlitheoirí anaithnid, ach i ndomhan a bhí ag éirí ní b'éiginnte in aghaidh an lae bhí Rebekka in ann brath ar rud amháin: gach uile thráthnóna, tamall gearr tar éis a ceathair a chlog, shuíodh Alex One Arrow ag an bhfuinneog agus d'ordaíodh muga caife agus slisín den cháca seacláide – gan uachtar.

Thug sí suntas do rialtacht a chuairteanna. Shíl sí nár thit poncúlacht isteach le dearcadh saoil na Meiriceánach Dúchasach, ach rith sé léi gur réamhchlaonadh gránna dá cuid a bhí ansin. Níor shuigh sí síos leis ach go hannamh. Go hiondúil, bhí sí róghnóthach.

Ba chairde iad. B'in an méid. Ní hea, ní fhéadfá cairdeas a thabhairt air, i ndáiríre. Ba chustaiméir rialta é. Custaiméir rialta maith, agus rinne sí mionchaint leis mar a rinne sí le Mártan nó le June, ar na laethanta a raibh a gléas éisteachta ag obair. Taobh amuigh de na comhráite gearra seo, níor chas siad lena chéile. Ní raibh a uimhir ghutháin aici, ná a ceann sise aigesean. Agus níor labhair siad riamh faoin oíche úd Tí Monroe. Ní raibh fonn ná misneach ar Rebekka an oíche sin a thabhairt aníos agus ba chosúil go raibh Alex ar aon tuairim léi.

Ar na hócáidí fánacha ar bhuail an fonn í suí síos leis, labhraíodh Alex léi faoi shaol na Meiriceánach Dúchasach, ábhar deas neodrach. Mar sin féin thaitin na scéalta beaga seo go mór léi. Mheabhraigh siad na scéalta a chum a hathair di fadó agus í ina suí ar a ghlúine siúd, cois an teallaigh bhréige. Ach ba spreagúla agus ba shuimiúla i bhfad iad scéalta Alex ná scéalta a hathar, toisc go raibh siad fíor. Tráthnóna amháin, d'inis Alex di gur ith sé feoil mhadra mar chuid de shearmanas reiligiúnda Lakota. Tráthnóna eile thaispeáin sé na loirg dhoimhne a d'fhág crúcaí iarainn Dhamhsa na Gréine i bhfeoil a dhroma. B'fhacthas do Rebekka go raibh creideamh na Lakota fiáin agus aduain ar lámh amháin, ach simplí agus glan ar an lámh eile. Ní raibh aon chacamas ag baint leis. Cur i gcéill ar bith. Níor sheas aon eagraíocht idir an duine agus fórsaí an tsaoil eile agus thaitin sé sin léi.

'Céard a chreideann tú féin?' a d'fhiafraigh Alex di tráthnóna grianmhar amháin ag tús an Mheithimh. An chéad lá te sa bhliain a bhí ann agus bhí an caifé tréigthe. 'Ní dhúnaimse mo bhéal faoi chreideamh na Lakota ach níl tuairim agam cén creideamh atá agatsa.'

'Creideamh ar bith.'

Ba Ghiúdaigh iad muintir a hathar fadó – go deimhin, b'in an fáth ar tugadh Rebekka uirthi an chéad lá riamh – ach ba bheag an t-eolas a bhí ag a hathair féin faoina chúlra. Fad agus ab eol di, níor tógadh a máthair le creideamh ar bith ach an oiread. Pé scéal é, bhí an bheirt acu den tuairim go raibh an ceart ag Karl Marx faoi rud amháin ar a laghad: gurb é creideamh druga an phobail.

'Ach ní chreideann tú i nDia ar bith? Cé a chruthaigh an domhan, mar sin?'

Rinne sí gáire. 'Is féidir leat a chreidiúint gur chruthaigh Dia an domhan, más maith leat, ach muintir na hÍsiltíre a chruthaigh an Ísiltír. Mar a dúirt mé leat cheana, rugadh cúig mhéadar faoi leibhéal na farraige mé, in áit nach raibh talamh go dtí na 1960í.'

'Dúirt tú liom freisin go raibh an ghráin agat air, mar áit. D'fhág tú do thír ar chúis éigin. Tháinig tú anseo ar thóir ruda éigin.'

Chuimhnigh sí ar aisling na healaíne pobail, ar an ngraifítí a chothaigh an oiread sin trioblóide. Chuimhnigh sí ar an trealamh líníochta agus péinteála a bhí ag bailiú dusta i mála ag bun cófra ina seomra. Ba cheart di an t-iomlán a thabhairt do shiopa Naomh Uinsionn de Pól. D'éirigh sí.

'Agus tá bean thall ag an gcuntar ar thóir chupán caife. Gabh mo leithscéal nóiméad.'

Chuaigh sí chun freastal ar an mbean agus ar roinnt custaiméirí eile. Tháinig Dorothea isteach, ag insint gur dhiúltaigh na foilsitheoirí don aonú dréacht déag dá húrscéal. Ar an gcóras fuaime, bhí Joni Mitchell ag moladh California, fad a líon an caifé le slua iaroibre ar thóir instealladh fuinnimh sular thug siad aghaidh ar a dtithe murtallacha i gCnoc na Cathrach, Bearna agus Maigh Cuilinn. Bhí Alex imithe faoin am ar chríochnaigh a seal oibre.

—

Nuair a d'oscail sí doras an tí an oíche sin bhí litir ag fanacht uirthi, aghaidh na banríona Beatrix ag breathnú aníos uirthi ó mhata na tairsí. Chuir radharc na litreach an croí trasna uirthi. Níor scríobh a muintir litreacha; ghlaoigh siad. Níor scríobh a cairde litreacha ach an oiread; sheol siad teachtaireachtaí ríomhphoist agus téacsanna. Ní fhéadfadh a bheith anseo ach fógra báis.

Thug sí an litir isteach go dtí an chistin, shuigh síos ag an mbord agus d'oscail í go doicheallach. Thit ualach dá croí nuair a chonaic sí gur cuireadh bainise a bhí ann, ach thuirling néal dubh úrnua uirthi nuair a léigh sí an litir a bhí leis.

Lelystad, 27 Bealtaine 2003

Rebekka, a stór,

Is oth liom go mór nach bhfuil oiread teagmhála eadrainn na laethanta seo is a bhíodh. Is cinnte gur ormsa atá cuid den locht. Mothaím uaim thú.

Pé scéal é, tá Arjen agus mise ag pósadh. D'iarr mé air mé a phósadh nuair a bhíomar ag scátáil ar locha na Freaslainne sa gheimhreadh, bhí sé thar a bheith rómánsúil ar fad, bhíomar inár seasamh ansin ar an oighear, ár gcosa reoite agus ár n-aghaidheanna dearg leis an bhfuacht, ag ól seacláide te a bhíodar a dhíol ansin ag seastán ar an oighear...

Pé scéal é, ar ndóigh, níor dhiúltaigh sé agus táimid ag pósadh ar an 31 Deireadh Fómhair. Is ea, beidh téama 'Oíche Shamhna' ag an mbainis, tá a fhios agat sinne, ní chreidimid sa phósadh i ndáiríre ach tá sé áisiúil ó thaobh na cánach de, tuigeann tú féin, agus dá bharr sin shíleamar go mbeadh sé chomh maith againn píosa craic a bheith againn leis an mbainis. Beidh culaith dhubh ar Arjen agus beidh gúna oráiste ormsa – agus ort féin, tá súil agam! Is ea, táim ag iarraidh ort seasamh liom ar lá mo phósta. Le do thoil, abair liom go ndéanfaidh tú é!

Le grá mór,

Machteld (agus Arjen.)

Leag Rebekka an litir uaithi. D'éirigh sí chun cupán tae a dhéanamh ach bhí dearmad déanta aici ar thae faoin am ar fhiuch an citeal. Ní raibh sí tar éis dul abhaile ó tháinig sí go hÉirinn agus ba bheag an fonn a bhí uirthi filleadh. Bhí dúshlán tugtha aici di féin nuair a d'fhág sí an Ísiltír: gan dul ar ais ann go dtí go n-éireodh léi teacht i dtír mar ealaíontóir. Bhí sí níos faide ón sprioc sin ná riamh, agus anois an litir seo. Ach ba í Machteld an cara ab fhearr aici; ní fhéadfadh sí diúltú di.

—

Cúig mhí ina dhiaidh sin bhí sí ar an mbus oíche go hAerfort Bhaile Átha Cliath. Bhí sé a ceathair a chlog ar maidin ach ní raibh sí in ann codladh. Bhí a héadan brúite i gcoinne fhuinneog an bhus aici agus meangadh gáire ar a haghaidh. Oíche fhuar, chiúin a bhí ann, ceann de na hoícheanta Fómhair sin nuair atá an spéir breac le réaltaí. An raibh áit ar bith ar domhan chomh geal lonrach le spéir na hÉireann? Léigh sí na comharthaí bóthair a las i gceannsoilse an bhus.

ford

Béal Átha an Urchair. Horseleap. Chuir dhá ainm an bhaile bhig mearbhall uirthi. An amhlaidh a scaoileadh urchar a bhain geit as capall, capall a léim thar áth san abhainn ina dhiaidh sin?

adopted

Ní fhéadfadh sí smaoineamh ar shampla ní b'fhearr ar an gcaidreamh casta a bhí ag Éirinn, a tír uchtaithe, lena dá theanga. Mura raibh an dá theanga agat, ní bheadh agat riamh ach leath an scéil. Bheadh a fhios agat faoin gcapall agus a léim, ach ní bheadh a fhios agat faoin áth san abhainn ná faoin urchar. Nó an bealach eile timpeall. Dá n-éireodh léi é seo a léiriú do mhuintir na hÉireann – ar an dream a thuig 'Horseleap' ach nár thuig 'Béal Átha an Urchair' ach go háirithe – bheadh réabhlóid curtha i gcrích aici. Ach bhí sí ag *a chuid* déanamh a coda. Nach ndearna sí anraith agus caife ar son na cúise gach lá? Dá gcuirfí ceist uirthi ag bainis Machteld céard a bhí déanta aici le dhá bhliain go leith anuas, déarfadh sí go raibh réabhlóid chultúrtha á cothú aici trí mheán na gníomhealaíne: nach ndúirt Naoise tráth gurbh ionann teach caife maith agus amharclann?

—

Tharraing an bus isteach ag Aerfort Bhaile Átha Cliath ag a sé a chlog ar maidin. Trí huaire an chloig ní ba dhéanaí bhí sí ina seasamh ar ardán fuar, dorcha stáisiún traenach Schiphol, ag fanacht ar an traein go Lelystad.

Sa bhaile beag inar tháinig Arjen ar an saol a bhí an bhainis, dhá lá ina dhiaidh sin. Áitín bheag ghleoite, le seantithe cama, a n-aghaidheanna

charming

adhmaid péinteáilte go néata i ndath dubhghlas agus bán, ba ea De Rijp, baile ar mhó líon na gcanálacha ann ná líon na sráideanna.

Bhí Rebekka ina seasamh in aice le Machteld, Arjen agus an fear a bhí ag seasamh le Arjen ar chéimeanna cloiche halla an bhaile. Bhí míolta móra greannta i mbéanna an fhoirgnimh ársa. Ar sheilg na míol mór a bhí De Rijp ag brath na céadta bliain ó shin, sular aimsigh an fear ba chlúití dár rugadh ar an mbaile riamh an bealach chun talamh a dhéanamh as loch agus farraige.

Chruthaigh Jan Adriaenszoon Leeghwater talamh breá méith do na beithígh, ach chaill a bhaile dúchais a shlí chun na farraige de bharr a chuid scéimeanna. Ní raibh De Rijp mar a chéile ó shin. Bhí ba agus caoirigh ag inniilt san áit ina gceanglaíodh longa a sheol farraigí an domhain, le céibh tráth den saol. Thiontaigh an port gnóthach ina bhaile beag tuaithe, teanntaithe i lár na tíre, tachta mar a bheadh dair dhubh ann i bportach de chuid na hÉireann: marbh, ach caomhnaithe go maith.

'Tá an áit seo go hálainn,' a dúirt Rebekka le Machteld.

'Tá, nach bhfuil? Níor cheap tú i ndáiríre go bpósfainn sa bhaile in Lelystad, ar cheap?'

'Dia ár sábháil, sin é an tromluí is measa liom!'

Chliceáil ceamaraí an ghrianghrafadóra agus na ngaolta. Ar an taobh eile de chearnóg an bhaile, chonaic Rebekka fear ard, maol ag seasamh amach as BMW dearg. D'aithin sí an fear ar an toirt ón siúl péacógach, máistíneach a bhí faoi. Ach cá raibh an ghruaig chatach dhonn? Agus cad as ar tháinig an boilgín beorach sin a bhí ag gobadh amach os cionn a chuid 501s? Cad as ar tháinig na roic ina éadan? Bhí Jeroen Jurjus tar éis éirí sean! Gheall sí di féin nach dtabharfadh sí a íomhá aníos riamh arís dá dteipfeadh uirthi titim ina codladh.

Níor shil sí oiread agus deoir amháin le linn an tsearmanais phósta. Chuir cultacha agus mascanna Oíche Shamhna agus na gúnaí oráiste a bhí ar Machteld agus uirthi féin an iomarca gáire uirthi. Ach chaoin sí uisce a cinn ag an gcóisir ina dhiaidh, sa teach tábhairne ba chlúití ar an mbaile. Seans go raibh baint ag an méid *bokbier* a bhí ólta aici leis an scéal, ach bhí níos mó i gceist ná sin. Bhí an fear a sheas le Arjen i lár a aithisc nuair a d'éirigh sí óna cathaoir go sciobtha, ag déanamh ar an leithreas. Ní raibh sé i bhfad go dtí gur tháinig Machteld isteach ina diaidh.

'Céard atá cearr leat, a stór?'

Phléasc Rebekka ag gáire trína cuid deora.

Bhí an bheirt acu ina seasamh os comhair an scatháin. In ainneoin dath geal, láidir, oráiste, ar na gúnaí, bhí siad go hálainn. Bhí siad déanta as síoda lonrach agus bhí sé tugtha faoi deara ag Rebekka nach raibh cuma ní b'fhearr ar a brollach riamh roimhe. Bhí gruaig Machteld agus a cuid féin corntha suas go hard ar bharr a gcinn ag an ngruaigeadóir agus astair oráiste curtha aige ann. Ba gheall le beirt bhan uasal iad. Thosaigh sí ag gol an athuair.

'Breathnaigh orainn! Is mná muid! Ní cailíní muid a thuilleadh!'

Thosaigh Machteld ag gol anois freisin, snagaireacht bhriste, stadach.

'Tá an ceart agat. Is mná fásta muid.' Ansin las gáire ar a haghaidh fhliuch. 'An cuimhin leat nuair ba ghirseacha muid? Nuair ba ghnáth linn dul amach go dtí na Oostvaardersplassen chun léim thar na srutháin agus na díoga?'

'Bhí tusa ag iarraidh a bheith cosúil le Cyndi Lauper.'

'Bhí tusa ag iarraidh a bheidh cosúil le Jeanne d'Arc.'

'Tá mé ag iarraidh a bheith cosúil le Jeanne d'Arc fós. Níl mé réidh le bheith i mo bhean fhásta.' Tharraing Rebekka an bláth as a gruaig agus lig dá folt titim síos go nádúrtha, thar a guaillí. 'Táim ag iarraidh rud éigin tábhachtach a dhéanamh, Machteld. Rud éigin a chur i gcrích. Ach tá an t-am ag rith amach.'

Thriomaigh Machteld a deora féin agus deora Rebekka le muinchille fhada a gúna.

'Sin brionglóid a bhí againn nuair a bhí muid óg. Nuair a bhí muid óg, níor thuig muid an saol.'

'Tá brón orm, Machteld. Seo é do lá mór. Tá mé sásta ar do shonsa. I ndáiríre, tá.'

'Ba cheart dúinn dul ar ais, is dócha.' Stop Machteld ar feadh soicind agus bhreathnaigh ar Rebekka go héiginnte. 'Cuireadh Jeanne d'Arc chun báis, dála an scéil. Tá a fhios agat sin, nach bhfuil?'

Cuireadh, a smaoinigh Rebekka di féin. Ach ar a laghad, bhí saol spéisiúil aici agus chuimhnigh daoine ar a hainm seacht gcéad bliain níos déanaí.

—

Tar éis seachtaine i dteach a tuismitheoirí bhí Rebekka ar eitilt mhochmhaidine ar ais go hÉirinn. Thug sí féachaint dheireanach ar dhumhcha gainimh chósta na hOllainne sular thug an t-eitleán aghaidh ar an Muir Thuaidh. Gan choinne, mhothaigh sí folús ina cliabhrach. An raibh an rud ceart á dhéanamh aici ar chor ar bith, ag filleadh ar Éirinn, ar dhrochphá agus ar chúraimí crua? Rug sí ar *Cara Magazine* in iarracht an ruaig a chur ar na smaointe dubha a bhí ag teacht aníos ina haigne, ach theip uirthi.

In olcas a chuaigh a spionn le gach céim den turas. Bhí sé fliuch agus fuar in Aerfort Bhaile Átha Cliath. Mar bharr ar an donas bhí an bus go Gaillimh díreach imithe agus ní raibh ceann eile le fáil go dtí meán lae. Nuair a d'fhág an bus faoi dheireadh, bhí an t-aistear cosúil le turas na croise. Cionn Átha Gad, Baile an Chaisleáin Loiscthe, Baile an Tirialaigh – chuir sí a seacht mallacht ar gach ceann acu.

Níor tháinig feabhas ar a giúmar go dtí gur tharraing an bus isteach le taobh Stáisiún Cheannt. Bhí sé ina dhíle, ach ba chuma léi. Bhraith sí boladh na feamainne ar an aer agus chuala sí scréachaíl na bhfaoileán os cionn na sráideanna liatha. Leath gáire ó chluas go cluas ar a haghaidh. Dá bhfeicfeadh éinne mar seo í, mála droma mór ar a guaillí, a cuid gruaige greamaithe dá baithis ag an mbáisteach, í báite go craiceann ach straois mhór áthais uirthi, cheapfaidís go raibh sí glan as a meabhair. B'fhéidir go raibh. Ach níor thóg aon duine ceann di. Bhí deifir agus drochspionn ar an mbeagán daoine a bhí abhus. Ach bhí a fhios ag Rebekka cá raibh na daoine, cá raibh a cairde, cá raibh a muintir. Shiúil sí caol díreach go dtí an caifé.

Ba é Alex One Arrow an chéad duine a chonaic sí. Bhí sé ina shuí ag an bhfuinneog, díreach in aice an dorais. Bhreathnaigh sí ar an gclog os cionn an chuntair. Is ea, ceathrú tar éis a ceathair. Bhí a mhuga caife leathólta agus a cháca seacláide leathite aige. Chroith sí an mála droma anuas óna guaillí agus tharraing na ribí fliucha gruaige as a súile.

'Alex, an cuimhin leat gur fhiafraigh tú díom tamall ó shin cén creideamh a bhí agam?' Níor thug sí an t-am dó aon fhreagra a thabhairt. 'Ní chreidim sa Bhúda ná in Íosa Críost, ach creidim san Aiséirí.'

D'fhág sí a mála droma agus a cóta fliuch taobh thiar den chuntar. Cheangail sí a naprún uirthi agus d'imigh geimhreadh eile thart.

9

'An maith leat do phost i gcónaí?'

Bhain glór Alex geit bheag aisti. Ba é an chéad chustaiméir a tháinig
isteach le huair an chloig anuas. Tráthnóna Satharin i ndeireadh
Aibreáin a bhí ann ach bhí sé chomh te sin go raibh ceann de na
gléasanna aerchóireála curtha ar siúl ag Rebekka. Bhí gach duine
ciallmhar ag baint taitnimh as an ngrian. Ós rud é nach raibh rud ar
bith eile le déanamh bhí sí ag líonadh málaí le boinn don bhanc.
Bheadh ar Naoise iad a thabhairt ann lá éigin, bhí an bosca cartúis
ina raibh siad á choinneáil aici beagnach lán.

'Lá eile, an cac céanna,' a d'fhreagair sí. 'Ní hea, ag magadh atá mé.
Ní fhéadfainn mo shaol a shamhlú gan an áit seo. Ó, tá mé thar a
bheith bródúil as *rogha an lae* inniu: dipín cairéid le líomóid agus
coiriandar. An bhfuil tú ag iarraidh é a thriail?'

Chuir Alex strainc air féin.

'Beidh muga caife agus slisín den cháca seacláide agam, ceapaim.
Féadfaidh tú uachtar a chur ar an dá rud.'

Shuigh Alex ar stól ard. Chuir Rebekka a lámha ar a ceathrúna agus
bhreathnaigh air.

'Uachtar arís, an ea? An bhfuil rud éigin le ceiliúradh agat? Maith an
rud é nach gcuireann tusa meáchan ar bith suas.'

'Inniu mo lá deireanach in Éirinn.'

D'oibrigh a méaracha cnaipí an innill *espresso* go huathoibríoch. Ghearr a lámha slisín den cháca. D'fholmhaigh sí gléas an uachtair choipthe ar fad ar an gcaife agus ar an gcáca.

'Chríochnaigh mé san Ollscoil. Tá mé ag dul ar ais go dtí na Stáit chun dul ag obair ar fheachtas John Kerry, an fear atá ag seasamh i gcoinne George W. Bush sa toghchán uachtaránachta.'

'Ar a laghad beidh rud éigin fiúntach á dhéanamh agat.' Chuir sí an caife agus an cáca os a chomhair de phlab. 'Cén uair atá tú ag imeacht?'

'I ndiaidh an mhuga chaife seo.'

Theastaigh uaithi rud éigin a rá, ach ní raibh sí cinnte céard a déarfadh sí. Rinne Alex gáire brónach.

'Is dócha go bhfuil sé rómhall anois a bheith aiféalach faoi rudaí a d'fhéadfadh tarlú, ach nár tharla.'

Taobh amuigh, bhí Bean Uí Dhónaill ag scuabadh an chosáin os comhair a siopa. Bheannaigh seanfhear ar rothar di. Bhí gadhar ag tafann. B'aisteach an chaoi a ndeachaigh an saol ar aghaidh mar ba ghnách ag am mar seo. Rud beag maslach, fiú.

'Tá tú ar buile liom,' a dúirt Alex.

'Cén fáth ar fhan tú go dtí do lá deireanach sa tír chun é seo a rá liom? Cén fáth nár phóg tú mé an oíche sin, Tí Monroe?'

'Níor phóg mé thú an oíche sin ná aon uair eile toisc nach liomsa atá tú i ngrá! Tá tú pósta leis an gcaifé seo. Níl tuairim agam cá mhéad uaireanta a dúirt tú liom go bhfuil draíocht ag an áit seo, gurb é seo do bhaile, do chreideamh, nach bhféadfadh éinne teacht idir tú agus Aiséirí.' Bhreathnaigh sé timpeall air féin agus lig gáire cráite as. 'Agus an bhfuil a fhios agat? Ní chuirim aon locht ort. Ní dóigh liom féin go bhfuil a shárú le fáil.'

Dhún sí a súile.

'An t-am sin ar fad curtha amú... Cén fáth nach ndúirt tú rud ar bith?'

'Chaoin mé uisce mo chinn an oíche sin. Ach má bhíomar le bheith le chéile, bhí ortsa cinneadh a dhéanamh. Mise nó an áit seo, mar bheinnse i gcónaí in áit na leathphingine. Tagaim isteach anseo gach uile thráthnóna ag súil go dtabharfá faoi deara mé, go mbeadh d'intinn athraithe agat, b'fhéidir, ach tá mé ag cur dallamullóg orm féin.' Bhreathnaigh sé ar a uaireadóir. 'Tá mo bhus ag imeacht i gceann fiche nóiméad. Caithfidh mé rith.'

Ní fhéadfadh sé imeacht. Cleas a bhí ann. Bhí sé ag cumadh scéalta.

'Cá bhfuil do mhálaí?'

'San ionad stórála ag an stáisiún.'

Chuir sé nóta deich euro ar an gcuntar, d'éirigh agus d'fhág. Shleamhnaigh an t-uachtar anuas ón muga caife go mall, ag déanamh locháin ar an gcuntar.

Níor éirigh léi a cosa a bhogadh; bhraith sí mar a bheadh a bróga greamaithe den urlár. Faoi dheireadh, tháinig sí chuici féin. Nuair a bhain sí an doras amach, bhí Alex ag cúinne na sráide cheana féin. Ach amhail is gur mhothaigh sé go raibh sí ag breathnú air, thiontaigh sé thart. Bhain a ghlór macalla as tithe arda, gruama na sráide.

'Tar ar cuairt chugam sna Stáit! Má éiríonn tú bréan den áit seo lá éigin.'

Ansin d'imigh sé timpeall an chúinne.

—

An lá dár gcionn, níor staon an córas fuaime de dhlúthdhiosca Dido. Ní dúirt Bróna, cailín neirbhíseach ón nGaeltacht Láir nach raibh ach tar éis tosú in Aiséirí, rud ar bith faoi.

Bhí sé ag tarraingt ar a ceathair. Thiocfadh sé isteach anois, Alex, gáire mór leathan ar a aghaidh. Déarfadh sé nach raibh sa rud ar fad ach cleas chun a chur ar a súile di go raibh siad ceaptha a bheith le chéile. Bheadh sí ar buile leis, ghabhfadh seisean a leithscéal. Dhéanfaidís beirt gáire agus ansin phógfaidís a chéile faoi dheireadh. Ní raibh sé ach timpeall an chúinne. Bhraith sí go raibh. Thiocfadh sé isteach nóiméad ar bith anois.

Mhoilligh an t-am a thuilleadh. Cúig tar éis a ceathair. Deich tar éis a ceathair. Ceathrú tar éis a ceathair. Leathuair tar éis a ceathair. A cúig a chlog. Bhí stól Alex fós folamh.

Bhí carn soithí ag fanacht uirthi sa chistin. Líon sí an doirteal le huisce te. Beag beann ar na custaiméirí thosaigh sí ag gabháil d'amhráin Dido in ard a cinn agus a gutha chráite. Ní raibh sé i bhfad go dtí gur chuala sí Mártan ag gearán ag scipéad an airgid.

'An mbeidh orainn cur suas leis an ngeonaíl seo ar feadh i bhfad eile meastú?' a d'fhiafraigh sé de Bhróna.

'Goitse, a Mhártain, lig di,' a d'fhreagair Bróna de chogar. 'Ceapaim go bhfuil a buachaill i ndiaidh briseadh suas léi, nó rud ínteacht.'

Dúirt Mártan rud éigin trína fhiacla, d'íoc, agus shiúil amach an doras. Dhá nóiméad ina dhiaidh sin bhí sé ar ais.

'Rebekka?'

Bhí sé ina sheasamh sa bhearna idir an cuntar agus balla na cistine. Ní fhéadfadh sí neamhaird a dhéanamh de, bhí aithne na mblianta aici ar an bhfear. D'fhág sí na soithí sa doirteal, thriomaigh a lámha agus chuaigh fad leis.

'Suigh síos liom soicind, a stór.'

Lean sí é chuig bord a trí. Shuigh siad síos. Bhain Mártan bosca *Roses* amach as mála plaisteach.

'Seo duit, a leana. Deir siad go leigheasann seacláid gach uile phian.'

'An é sin an fáth nach mbíonn sé uait ar do chuid *cappuccinos*?' Chlúdaigh sí a béal lena lámh. Nárbh í an bhitseach mhímhúinte mhíbhuíoch í. Phléascfadh sé, cinnte. 'A Mhártain, tá brón orm.'

Ach níor phléasc Mártan. Leath iarracht de mhiongháire ar a aghaidh.

'Gabh i leith, a leana. Aithníonn ciaróg ciaróg eile. Tá croí briste agamsa freisin. Lig mé síos an bhean a raibh grá agam di. Ní inseoidh mé duit céard a rinne mé, ach déarfaimid go bhfuil gach uile unsa den bhriseadh croí seo tuillte agam. Agus is ea, tá an ceart agat. Sin an fáth nach ligim daoibh seacláid a chur ar *cappuccino*. Níl ansin ach ceann den mhíle rud a shéanaim orm féin gach uile lá ó d'fhág sí mé.'

D'ardaigh Rebekka an bosca *Roses* ina lámh.

'Tá sé seo go hálainn uait, a Mhártain. Go raibh maith agat.'

Chuimil Mártan a shúile le cúl a láimhe. Gluaiseacht gharbh, ghasta a bhí ann ach ní fhéadfaí gan é a thabhairt faoi deara.

'Is bocht liom do scéal, a Mhártain. Cén fad ó shin ó tharla sé sin ar fad?'

'Cúig bliana déag.'

Sula raibh deis aici freagra a thabhairt scairt Bróna uirthi anall ón gcuntar, agus í trína chéile.

'Rebekka, níl aon ghloiní arda fágtha agam! Cad a dhéanfaidh mé? Tá barraíocht orduithe le déanamh agam le hiad a ní mé féin!'

'Brón orm, a Mhártain. Go raibh míle maith agat arís.'

Ar ais léi go dtí an doirteal. Faoin am a raibh na gloiní nite aici bhí Mártan imithe.

—

An oíche sin, sa bhaile, shocraigh sí glaoch a chur ar Machteld. Smaoinigh sí air seo ar feadh i bhfad, toisc nach raibh Alex luaite aici riamh léi. Bheadh uirthi tosú ag an tús. Agus céard eile a déarfadh Machteld ag an deireadh ach gur chaill sí an deis? Gur mhill sí uirthi féin é? Fear a thagann isteach chuig an gcaifé gach uile thráthnóna chun tú a fheiceáil, a déarfadh Machteld, cén chaoi a bhféadfá a bheith chomh dall? Ar ndóigh, bheadh an ceart ar fad aici.

Mar sin féin, phioc sí suas an fón. Bhí aithne ag Machteld uirthi ar feadh ceithre bliana is fiche, aithne ní b'fhearr ná mar a bhí ag duine ar bith eile ar domhan uirthi. Bheadh comhairle éigin aici di.

Ach ní bhfuair sí an deis a scéal a insint ar chor ar bith.

'Rebekka! A leithéid de chomhtharlú! Bhí mé díreach ar tí glaoch a chur ort! Bhí an fón i mo lámh! Tá nuacht mhór agam. Tomhais céard? Tá mé ag iompar!'

—

San fhómhar atoghadh George W. Bush. Rith sé le Rebekka ríomhphost a chur chuig Alex chun a comhbhrón faoi theip John Kerry a chur in iúl dó, ach shocraigh sí nach ndéanfadh. Cén chaoi a bhféadfadh sí Alex a chur taobh thiar di má bhí sí i dteagmháil leis? Mionchaint Bhean Uí Dhónaill, flirteáil áiféiseach fhear na nglasraí, moladh rialta Chóilín Mhic Néill faoi fheabhas a cuid Gaeilge agus moladh laethúil June faoi fheabhas an tae; chabhraigh na rudaí beaga seo léi aghaidh a thabhairt ar an gcéad lá eile, lá i ndiaidh lae. Na rudaí beaga seo agus Naoise.

Thug Naoise cluas, comhairle agus ardú pá di. Mar bhuíochas, d'oibrigh Rebekka níos déine ná riamh. Go minic, chlúdaigh sí na sosanna san oíche. Rinne sí cácaí, muifíní agus milseáin, gach baisc níos milse agus níos blasta ná an bhaisc roimhe. Thóg sí sealanna oibre breise nuair a bhí siad ar fáil. Thitfeadh an caifé as a chéile murach í – nó sin a deireadh sí le Mártan, uair ar bith ar thug sé faoi deara go raibh sí ag obair seacht lá na seachtaine. Ach ba í fírinne an scéil ná go dtitfeadh sí féin as a chéile murach Aiséirí. Theastaigh draíocht na háite uaithi mar a theastaigh muga le ceithre steall *espresso* uaithi ar maidin, mar a theastaigh an tsnáthaid ó na handúiligh ar an bhFaiche Mhór.

Oíche amháin, go gairid tar éis na Nollag, bhuail fón an chaifé.

'Aiséirí, Rebekka ag caint.'

'Rebekka! Faoi dheireadh! Machteld anseo.'

'Machteld! Cén chaoi a bhfuil tú? Cá bhfuair tú an uimhir seo?'

'An fear a d'fhreagair an fón i do theach a thug dom í, Liam, an ea? Tá mé ag glaoch ort le dhá lá anuas! Ní bhíonn tú sa bhaile riamh!'

'Tá mé ag clúdach na sosanna anois.'

'Cogar, Rebekka, tá ticéad ceannaithe agam! Tá tú thall ansin in

Éirinn le ceithre bliana anuas agus níor tháinig mé ar cuairt fós! Tá mé ar saoire máithreachais, ach tá Lotte trí mhí d'aois anois agus tá mé in ann taisteal léi. Ba bhreá liom go bhfeicfeá í. Agus ní chaillfinn do bhreithlá tríocha bliain ar ór ná ar airgead!'

Cac. Bhí dearmad déanta aici air sin. Bheadh sí tríocha bliain d'aois i gceann míosa.

Bhí sé go deas te sa chríochfort, agus é damanta fuar amuigh. Tríd an ngloine thiubh, bhreathnaigh Rebekka ar na paisinéirí a tháinig amach as eitleán Bhaile Átha Cliath. Sin í, sin í! Bhí sí tite i chun feola beagán, ach ba í an Mhachteld chéanna fós í. Tháinig sceitimíní áthais uirthi. Thógfaidís tacsaí isteach sa chathair agus rachaidís ag ól. Ach ansin chonaic sí an páiste a bhí fáiscthe lena hucht ag Machteld. Thit a croí. Bheadh uirthi a cara is fearr a roinnt le duine nach raibh aon aithne aici uirthi. Duine nach raibh in ann labhairt, fiú amháin.

Ba bheag an cion a bhí ag Rebekka ar pháistí, go háirithe na páistí ar nós lena dtuismitheoirí iad a thabhairt isteach go hAiséirí. Ceann de na hiarmhairtí ba mheasa a bhí ag rachmas an Tíogair Cheiltigh ar shochaí na hÉireann, dar léi, ná an *babaccino – cappuccino* do pháistí, ach gan ann ach cúr bainne. Ceann de na sreangshiopaí caife a chum é in iarracht mná óga leis an iomarca airgid agus am saor a mhealladh, ach níorbh fhada gur thosaigh máithreacha ag éileamh *babaccinos* dá gclann in Aiséirí. Chothaigh sé seo fadhb. Ní fhéadfaí airgead a ghearradh ar na deochanna bréige seo. I ndeireadh na dála, céard a bhí iontu ach rud beag bainne agus go leor, leor aeir? Ach tháinig cuid de na mná faiseanta seo aníos le cleas thar a bheith glic: d'ordaigh siad *babaccinos* dá sliocht, gan deoch ar bith a ordú dóibh féin. Ní raibh leisce orthu bord a thógáil ar feadh uair an chloig ar an gcaoi sin, ag ligean a scíthe agus ag cúlchaint, a gcuid málaí ó Brown Thomas sa bhealach ar Rebekka agus ar na freastalaithe eile. Bhí súil le Dia aici nach raibh Machteld cosúil leis na mná seo anois agus páiste curtha ar an saol aici.

Ach ní raibh. Ní raibh éirí in airde ag baint le Machteld riamh ná anois ach oiread. Ní *babaccino* a thug sí dá hiníon Lotte ach an chíoch. Ní raibh siad ach suite síos sa chaifé – ní raibh bia ar bith sa teach ag Rebekka agus, i ndáiríre píre, bhí sé i bhfad róluath sa lá dul ag ól – nuair a d'ardaigh Machteld a geansaí chun didín a cíche clé a shá isteach i mbéal a hiníne. Bhí radharc flaithiúil ar fheoil bhán a brollaigh ag a raibh sa chaifé. Ba bheag nár dhoirt Mártan a *cappuccino* thar a léine bhán de gheit. Bhreathnaigh Machteld timpeall.

'Seo é an áit ina n-oibríonn tú, mar sin. Tá sé go deas, an-*gezellig*. Ach an é seo atá uait don chuid eile de do shaol? Ag deireadh an lae, ní leatsa an áit.'

Ach an oiread léi féin b'Ísiltíreach go smior í Machteld agus b'fhearr léi an bhoirbe ná an bhréag. Ach bhí an oiread sin ama caite in Éirinn ag Rebekka anois gur bhain neamhbhailbhe a cara siar aisti.

'Níor smaoinigh mé air.'

Ba é an chéad rud é a rith léi a rá, ach ba í an fhírinne í. Mhair sí ó lá go lá. Bhí a cloigeann chomh pulctha le horduithe dí, orduithe bia agus orduithe do na soláthraithe, le sceideal oibre na foirne agus leis an sceideal glantacháin, le cupáin bhriste, pónairí caife dóite agus leithris gan pháipéar, nach raibh am ná spás ina haigne do smaointe de chineál ar bith eile, ach go háirithe faoin todhchaí. Ba chath laethúil é an caifé a shábháil ó thubaiste éigin, gan trácht ar an saol mór.

Ach anois agus í ag breathnú ar a cara is fearr ag tabhairt na cíche dá hiníon, bhuail an fhírinne lom idir an dá shúil í. Má bhí duine ar bith ag an mbord seo réabhlóideach, ba í Machteld a bhí ann: máthair óg a bhí i gceannas ar rannóg na scéalta eachtracha sa nuachtán is mó san Ísiltír. A luaithe a bheadh a saoire máithreachais thart bheadh sí ar ais san oifig – bhí Arjen le fanacht sa bhaile chun aire a thabhairt do Lotte. Aingeal d'fhear céile, iníon ghleoite, post i lár an aonaigh – bhí a oiread sin bainte amach aici. Bheadh Rebekka féin tríocha bliain d'aois i gceann cúpla lá. Bhí ribí liatha ina cuid gruaige agus bhí ceithre bliana caite aici ag déanamh ceapairí.

—

Toisc go raibh an aimsir go deas, shocraigh sí a breithlá a cheiliúradh in Inis Mór. Chuaigh na dlúthchairde ar fad isteach léi: Machteld, Liam, Péter, Naoise.

Chaith siad an oíche ag ól Tí Joe Watty; an mhaidin dár gcionn, nuair a thóg Naoise, Liam agus Péter an bád ar ais go dtí an mhórthír, shiúil Rebekka agus Machteld amach go Dún Aonghasa ag iarraidh an ruaig a chur ar an bpóit. Bhrúigh siad pram Lotte ar a seal. Bhí spéir ghorm os cionn Chuan na Gaillimhe, bhí an tEarrach san aer. D'ardaigh Machteld Lotte as an bpram le go bhféadfadh sí na beithígh ar an taobh eile den chlaí a fheiceáil.

'Ar mhaith leatsa páistí a bheith agat?'

'Dá gcuirfeá ceist orm seachtain ó shin is dócha go ligfinn scread, ach tar éis dom aithne a chur ar Lotte… Is í an fhadhb nár chas an fear ceart orm go fóill.'

'Caithfidh tú do shúile a oscailt mar sin! Tá tú ag obair i gcaifé gnóthach. Siúlann míle fear breá isteach an doras sin gach lá.'

Bhreathnaigh Rebekka ar an gcnoc ard a bhí rompu. Bhí bóthar fada go Dún Aonghasa go fóill, dhá uair an chloig ar a laghad. Neart ama chun scéal Alex a insint faoi dheireadh.

—

'An bhfuil a fhios agat,' a dúirt Machteld agus iad ag breathnú ar bhreachlainn na dtonnta ag bun ailltreacha an Dúna, 'Ba cheart duit saoire a ghlacadh. Chonaic mé i mbun oibre thú le seachtain anuas agus chonaic mé mo dhóthain. Tá tú do do mharú féin sa chaifé sin.'

Thóg siad céim siar ón aill.

'Rebekka, ní déarfainn seo murach gur tú an cara is fearr atá ar an saol agam. Tá súil agam nach dtógfaidh tú orm é má deirim é seo leat, ach tá cuma an bháis ort. Ní póit na hoíche aréir amháin atá i gceist agam. Agus na spotaí sin ar d'éadan, an méid caife atá tú ag ól gach lá is cúis leo sin. Is agamsa a bhí an páiste, ach tá an chuma ortsa gur chuir tú líon tí iomlán ar an saol. Tá brón orm, ach caithfidh duine éigin na rudaí seo a rá leat. Insíonn dlúthchara an fhírinne, fiú má bhíonn sí searbh.'

Thosaigh Rebekka ag gol. Ní mar gheall ar mhacántacht phianmhar Machteld, ach toisc go raibh an ceart ar fad aici.

'Cogar, glac saoire fhada duit féin. Imigh leat ar feadh trí, ceithre seachtaine ar a laghad. Téigh ar cuairt chuig an Indiach sin. Nár thug sé cuireadh duit?'

10

'A phaisinéirí uaisle ar thaobh na láimhe deise den eitleán, ná bíodh imní oraibh,' a dúirt glór Poncánach an phíolóta thar an idirchum. 'Níl sna lasracha sin atá sibh a fheiceáil taobh amuigh ach Soilse an Tuaiscirt.'

Leag Rebekka 'Rotha Mór an tSaoil' uaithi agus bhreathnaigh amach an fhuinneog bheag. Bhain an loinnir ghealbhuí, ghealghlas i spéir na hoíche an anáil di. Bhí na lasracha ag damhsa, ag pocléim, ag dul i léig agus ag gealadh an athuair. Labhair an píolóta arís.

'Ní fheictear Soilse an Tuaiscirt chomh fada seo ó dheas ach go fíor-annamh. Níl dabht ar bith faoi ach go bhfuilimid beannaithe anocht.'

Beannaithe! An comhartha a bhí anseo? Comhartha speisialta ón gcosmas?

Chomhairigh sí na paisinéirí. Ní raibh an t-eitleán ach leathlán agus bhí an chuid is mó de na paisinéirí ina suí ar thaobh na láimhe clé. Ba mhór an seans, mar sin, gur comhartha speisialta di-se, Rebekka Vogelzang, a bhí sna lasracha. Ach más ea, cén bhrí a bhí le baint as? Níor dhuine í a thuig comharthaí ceomhara agus leidí doiléire go rómhaith. Dá dtuigfeadh, ní bheadh a deis caillte aici le Alex One Arrow an chéad lá riamh. Duine í a thuig caint shoiléir, neamhbhalbh; caint mar a rinne Machteld an lá úd i nDún Aonghasa.

Bhí sí ar eitleán ó Nua-Eabhrac go Detroit. Níos luaithe an lá sin, bhí eitilt fhadálach ó Aerfort na Sionna go Nua-Eabhrac curtha di aici agus nuair a leaindeálfadh sí in Detroit ar ball bhí an tríú heitilt roimpi, eitilt ghairid go Columbus, príomhchathair Ohio. Bhí sí tar éis comhairle Machteld a ghlacadh agus bhí saoire míosa iarrtha aici ar Naoise.

'Mí an Mheithimh atá ann, an tréimhse is ciúine sa bhliain,' a dúirt Naoise léi, an tráthnóna sular imigh sí. 'Beimid go breá do d'uireasa.' Bhí súil aici go mbeadh, ach ghoill sé uirthi rud beag na focail sin a chloisteáil.

Agus í ag dul ar bord an eitleáin a thabharfadh ó Detroit go Columbus í, chuaigh sí trí sceideal oibre na foirne ina haigne, uair amháin eile. Bhí an sceideal déanta amach go ceann cúig seachtaine aici. Níor cheart go mbeadh aon fhadhb ann chomh fada is nach n-éireodh duine ar bith de na hoibrithe tinn. Bhí Rory agus Norma-Jean ar ais óna gcuid taistil agus ag obair sa chaifé arís, rud a bhí go maith. Bhí go leor taithí acu. Bhí uimhir Péter ag Naoise agus d'fhéadfadh sé glaoch air siúd in am an ghátair. Ach dá n-éireodh beirt den fhoireann tinn ag an am céanna? Bheadh Naoise é féin ag obair seacht lá na seachtaine fad a bhí sí imithe; ní bheadh sé féin in ann seasamh isteach.

'Ar mhaith leat deoch, a bhean uasail?'

Chuir aerfhreastalaí Northwest Airlines an croí trasna uirthi. A haghaidh ghéar, a cuid gruaige a bhí ceangailte siar go teann ar chúl a cinn aici, tón fuar, corparáideach a cuid cainte – bhí sí thar a bheith cosúil le Clíona, Clíona Savage. Droch-chomhartha ar fad ar fad. Níor bhac Rebekka leis na *pretzels* ná leis an *Mountain Dew* a bhí á dtairiscint ag an mbean óg, ar eagla go spreagfadh teagmháil súl leis an *doppelgänger* seo cuairt ón oifigeach sláinte comhshaoil ar Aiséirí láithreach bonn. Bhí nós ag Clíona Savage cuairt a thabhairt ag na hamanna is amscaí agus is míchuí, ach go háirithe nuair a bhí Rebekka saor.

I gcríochfort Columbus bhí uirthi fanacht ar a bagáiste ar feadh i bhfad. B'fhearr a bheith ag an obair ná a bheith ar shiúl. Bhí sí in ann don strus leanúnach nuair a bhí sí i nGaillimh; fiú mura raibh sí sa chaifé, bhí na haicearraí go dtí an áit ar eolas aici, ó gach chearn den chathair. Ach anois bhí na mílte míle idir í agus Aiséirí. Dá rachadh rud éigin mícheart sa chaifé, le Naoise, leis na freastalaithe nó le duine de na custaiméirí rialta, cén chaoi faoin spéir a dtiocfadh sí i gcabhair orthu?

Faoi dheireadh, theilg inní an aerfoirt a mála droma amach ar an gcrios iompair. D'ardaigh sí ar a guaillí é agus amach léi.

'Cén chaoi a bhfuil tú?'

Bhí sí feicthe ag Alex sula bhfaca sise eisean. Bhí sé ina sheasamh i gcoinne meaisín cannaí Coca Cola díreach trasna ó na doirse. Bhí an chuma chéanna air is a bhí bliain roimhe – rud beag níos pioctha, b'fhéidir. Ba léir go raibh sé ag dul chuig ionad aclaíochta. Bhí sí ag iarraidh barróg a thabhairt dó, póg ar a leiceann, b'fhéidir, ach tar éis bliain agus dhá mhí, agus tar éis gur imigh sé as a saol chomh tobann sin ach go háirithe, bhí gach rud amscaí agus ciotach. Sa deireadh, níor thug sí póg ná barróg dó. Níor bhog Alex ach an oiread, comhartha ceiste sna súile.

'Céard a ba mhaith leat a dhéanamh? Caithfidh sé go bhfuil tú traochta tuirseach.'

'Tá caife uaim. Caife láidir.'

'Cén fáth nach gcuireann sé sin aon iontas orm?' Bhreathnaigh Alex ar a uaireadóir. 'Tá sé a deich a chlog anois. Más féidir leat fanacht uair an chloig nó mar sin agus má dhéanaimid deifir, is féidir liom an teach caife is fearr ar an taobh seo den Atlantach a thaispeáint duit sula ndúnann sé.'

—

Ag a leathuair tar éis a haon déag tharraing trucailín *pick-up* Alex isteach os comhair teach caife ar Washington Street in Athens, Ohio. Sa doras oscailte bhí solas buí, teolaí ag sileadh amach ar an tsráid dhorcha. A luaithe a chuir Rebekka cos thar tairseach thit sí i ngrá leis an áit. Bhraith sí an draíocht chéanna is a mhothaigh sí in Aiséirí. Tháinig iontas uirthi; iontas faoi rud chomh bunúsach go raibh mearbhall agus beagáinín náire uirthi go raibh iontas uirthi faoi ar chor ar bith. Bhí iontas uirthi go bhféadfadh an draíocht chéanna a bheith ag caifé eile; iontas go raibh an domhan níos mó ná a domhan féin, níos mó ná Gaillimh.

Ach ní raibh siad ach tar éis suí síos nuair a chuala sí torann a chuir creathadh tríthi, torann uafásach a thug le fios di go raibh muileann na bpónairí caife ag meilt, ach go raibh sé folamh. Bhí ar fhoireann na háite mála nua a chaitheamh isteach ann go beo, nó dhófaí inneall an mhuilinn. Tháinig na focail chinniúnacha sin a dúirt Éamonn léi blianta roimhe sin isteach ina haigne: 'Ón uair a thrasnaíonn tú an líne seo ní bheidh an blas céanna ar chupán caife go deo arís, san áit seo ná in áit ar bith eile ar domhan.'

Bhí sí ar tí éirí chun an t-inneall a chasadh as í féin ach buíochas le Dia thug duine den fhoireann an callán faoi deara. Cailín gealgháireach, folláin Meiriceánach a bhí inti; an bainisteoir, gan dabht. Thit ualach óna croí nuair a stop an torann. Líon an cailín an muileann le pónairí orgánacha, ó thrádáil chothrom; líon a mboladh cumhachtach polláirí a sróin mar a bheadh boladh túise ann.

'Rebekka?' Dhúisigh glór Alex as a cuid smaointe í. 'Tá tú ag caoineadh.'

Chuir sí a lámha lena leicne. Bhí an ceart aige, bhí a haghaidh fliuch.

'Gabh mo leithscéal.'

'Ná bíodh aon imní ort, caithfidh sé go bhfuil tú an-tuirseach.'

'Tá caife uaim, caife láidir.' Rinne sí gáire idir na deora a bhí fós ag fliuchadh a súl.

Cúpla nóiméad ina dhiaidh sin thug an cailín gealgháireach dhá mhuga mhóra caife dubh anall. Líon an leacht a corp agus a hanam le haoibhneas; d'inis sí a cuid scéalta agus d'inis Alex a scéalta siúd. Bhí an oiread sin le rá gur bhain na focail tuisle as a chéile, ach tar éis tamaill ní raibh sí in ann don tuirse a thuilleadh. Thit sí ina codladh sa trucailín ar an mbealach chuig teach mhuintir One Arrow.

—

Ar dhúiseacht di an mhaidin dár gcionn, ba é an gunna mór ar an mballa os comhair na leapa an chéad rud a chonaic sí. Bhí sí ina luí i leaba mhór, léi féin. Bhí Alex tar éis a sheomra féin a thabhairt di, cé go ndúirt sí go mbeadh sí go breá ar an tolg. Bhí solas maidine ag teacht isteach trí dhallóga na fuinneoige. Bhí a ceann trom ón gcodladh, a corp scriosta ag an tuirse ón aerthuras. D'oscail sí a súile breis. Chonaic sí blaosc buabhaill ag stánadh anuas uirthi ó bhalla amháin; in aice leis an bhfuinneog bhí blaosc ainmhí éigin eile – mús b'fhéidir – á scrúdú le súile móra folmha. Bhí sí fiosrach faoina bhfeicfeadh sí crochta ar an mballa taobh thiar den leaba, os cionn a cinn. Thiontaigh sí timpeall ina pluid agus chonaic bogha agus mála leathair lán saighead. Bhí siad sin feicthe roimhe sin aici, ar ndóigh.

D'éirigh sí, tharraing éadaí uirthi féin agus shiúil síos thar líonóil an phasáiste i dtreo an bholadh caife. Bhí Alex ina shuí ag bord na cistine, muga caife idir a dhá lámh. Bhí bean mhór théagartha ina suí ag ceann an bhoird agus bhí muga mór á choinneáil idir a dá lámh aici siúd freisin. Ach níorbh é a ndúil i mugaí móra den leacht dubh an t-aon chosúlacht idir an bheirt. Ba léir ón gcéad radharc gurbh í an bhean seo máthair Alex. Bhí an ghruaig fhada chéanna uirthi, bhí cnámha a grua ard, dála a mic, agus bhí an dath meirgeach céanna ar a craiceann. Ach bhí difríochtaí eatarthu freisin. Ní hamháin go raibh a mháthair a dhá oiread níos sine ná Alex, bhí a dhá oiread meáchain uirthi freisin. Bhí a folt ceangailte in dhá thrilseán fhada aici in ionad ceann amháin agus bhí ribí liatha ina cuid gruaige. Bhí spéaclóirí uirthi, agus lionsaí iontu a bhí chomh tiubh le slisíní aráin. Ní raibh Rebekka in ann a súile a fheiceáil i gceart, ach mhothaigh sí cumhacht agus macántacht na mná nuair a d'éirigh sí chun barróg a thabhairt di.

'Rebekka! Mise Arlene One Arrow. Is mór an onóir dom bualadh leat. Tá mo mhac lán scéalta fút ó d'fhill sé ón Eoraip. Fáilte go dtí an teach seo.'

Ba bheag nár bhrúigh máthair Alex an t-aer ar fad as a scamhóga. Faoi dheireadh scaoil sí a greim.

'Go raibh maith agat.' Thóg Rebekka céim siar agus lig gáire neirbhíseach aisti.

'Céard?' a d'fhiafraigh Arlene One Arrow.

'Do T-léine. Tá sé an-ghreannmhar.'

Bhí T-léine dhubh á caitheamh ag máthair Alex. Bhí léaráid d'aghaidh George W. Bush ar a brollach, ar thaobh na láimhe deise. Bhí léaráid de phit mhná lán gruaige ar thaobh na láimhe clé. Bhí na focail *'Good Bush'* scríofa thíos faoin mball giniúna gruaigeach agus *'Bad Bush'* faoi aghaidh George.

Lig Arlene gáire aisti a bhain creathadh as na cupáin agus na plátaí ar an mbord.

'Rinne mé dearmad go raibh an ceann seo orm. Thug Alex dom é le linn an fheachtais. Ní cara mór dár gcuidne é an tAthair Mór Bán seo,' a dúirt Arlene.

Rinne an triúr acu gáire. Chuaigh Arlene go dtí an sorn agus chuir bricfeasta ar phláta do Rebekka: trí ubh fhriochta, pancóga le síoróip mhailpe, ispíní agus bagún.

'É seo ar fad?'

'Caithfidh tú do dhóthain a ithe, a chailín. Tá an t-uafás oibre le déanamh againn inniu. Tá searmanas *Inipi* á dhéanamh agam i d'onóir.'

'Searmanas Inipi?'

'Searmanas an Tí Allais. Dúirt mo mhac liom go bhfuil spéis agat i gcreideamh na Lakota.'

Bhí Alex ag gáire taobh thiar dá mhuga.

Bhí na tithe allais deich nóiméad ar shiúl ón teach, in airde ar chnoc. Pubaill allais ba cheart a thabhairt orthu, a shíl Rebekka di féin. Ní raibh le feiceáil ach a gcreatlacha, craobhacha loma fite fuaite ina chéile i gcruth ioglú. Bhí péire acu ann agus bhí log mór sa talamh eatarthu, log a bhí lán luaithe agus clocha cruinne.

'Dúinne mná an ceann ar chlé,' a dúirt Arlene One Arrow. 'Do na fir an ceann ar dheis.'

Chuidigh Rebekka le Arlene creatlacha na dtithe allais a chlúdach le blaincéid thiubha throma go dtí nach raibh fágtha ach oscailt bheag amháin chun tosaigh, scoilt a d'fhéadfaí a dhúnadh.

'Tá an teach allais cosúil leis an mbroinn,' a dúirt Arlene agus í ag tarraingt ar an mblaincéad deireanach a bhí curtha síos ag Rebekka, chun é a shocrú san áit cheart. 'Tá sé dorcha, te agus teolaí taobh istigh. Ach tá slí don domhan ar fad ann. Is ionann an teach allais agus an cosmas ar fad.'

Idir an dá linn bhí Alex ag scoilteadh adhmaid. Lá grianmhar a bhí ann agus tar éis tamaill bhain sé a léine de. Ní raibh oiread is ribe clúimh amháin ar a ucht meirgeach. Bhí Rebekka cúramach gan breathnú ina threo rómhinic. Níor theastaigh uaithi go bhfeicfeadh Arlene í ag baint lán a dá shúl dá mac.

Faoin am a raibh an ghrian díreach os cionn an chnoic tháinig breis daoine aníos an cosán, mná agus fir. Chuidigh na fir le Alex tine chnámh mhór a thógáil sa log idir na tithe allais agus thug Arlene, Rebekka agus na mná eile uisce aníos ó shruth ag bun an chnoic, buicéad i ndiaidh a chéile. Fuair sí amach gan mhoill gur daoine ón Ollscoil thíos in Athens a bhí sa chuid is mó de na cuairteoirí rialta ar thithe allais mhuintir One Arrow: roinnt mac léinn, roinnt teagascóirí agus ollamh amháin. Seachas mac léinn Afra-Mheiriceánach amháin darbh ainm Tempest ba dhaoine geala iad ar fad. Bhí iontas ar Rebekka faoi sin.

'Nach bhfuil aon Mheiriceánaigh Dhúchasacha eile ag teacht?' a d'fhiafraigh sí d'Arlene agus an bheirt acu ag siúl suas an cnoc le chéile, dhá bhuicéad lán an duine á n-iompar acu.

'Sin ceann de na míbhuntaistí a bhaineann le bheith i bhfad ón tearmann.' Stop Arlene agus leag na buicéid síos ar an gcosán. 'Íorónta go leor tá Alex agus mé féin ag brath ar chúnamh an chine a rinne iarracht ár gcreideamh a scriosadh chun é a chleachtadh.'

Ní raibh a fhios ag Rebekka céard a déarfadh sí. Nár bhain sí féin leis an dream a cheannaigh oileán Manhattan ó na hIndiaigh ar luach seasca gildear agus cúpla scáthán lonrach?

'Tá Lakota ann – ar an tearmann – atá go hiomlán ina choinne seo. Daoine a deir gur cheart dúinn ár rúin agus ár dtraidisiúin a

choinneáil dúinn féin.' Lig Arlene cuach aisti. 'Sin ceann de na
fáthanna ar fhág mé an tearmann. Cúngaigeantacht. Thar na blianta
rinne mé searmanas an tí allais le daoine den uile dhath. Le
Críostaithe, Moslamaigh, Giúdaigh, Búdaígh, Hiondúigh agus le
lucht leanúna go leor, leor creideamh dúchasach eile. Agus an bhfuil
a fhios agat é seo? Táimid ar fad mar a chéile, sa teach allais ach go
háirithe. Sin é an fáth a ndeirimid *Mitakuye oyasin* – 'Táimid go léir
gaolta' – gach uair a théann muid isteach nó amach doras an tí allais.'

D'ardaigh Arlene an dá bhuicéad aici agus thug aghaidh ar an gcnoc
arís. Tháinig imní ar Rebekka.

'I dteanga na Lakota a bheidh an searmanas ar fad, an ea?'

'An gceapann tú go bhfuil Lakota ag na Meiriceánaigh gheala seo?'
Chuir Arlene na buicéid síos an athuair. 'Níl aiféala orm faoi
mhórán rudaí ach tá aiféala orm faoi seo. Níor fhoghlaim mé mo
theanga féin i gceart riamh. Dhiúltaigh mo mhuintir féin í a labhairt
liom. Uair ar bith a chuirinn ceist ar mo mham faoin teanga a
labhair mo sheanathair agus mo sheanmháthair is éard a deireadh sí:
"Ná bac leis an teanga sin, Arlene. Tá sí ar thairseach an bháis. Déan
staidéar ar an mBéarla. Déan do chuid féin de. Bíodh Béarla níos
fearr agatsa ná mar atá ag na daoine geala féin. Is é an Béarla an t-
arm is cumhachtaí a bhéas agat ina gcoinne."'

Rinne Rebekka miongháire múinte, tuisceanach. Bhí an scéal
céanna cloiste go minic cheana aici.

'Ach tá botún mo mháthar á chur ina cheart agam.' Las loinnir dhána i
súile Arlene. 'Ó tháinig Alex ar ais ón Eoraip anuraidh, tá sé lán de
cheisteanna faoi theanga na Lakota. D'fhoghlaim sé cúpla focal ó roinnt
de na Lakota a bhí ar camchuairt leis, ach ní dóigh liom go bhfuil rún
rómhór á insint agam má deirim leat go raibh baint nach beag ag caifé
dátheangach áirithe in Éirinn lena shuim a mhúscailt i dteanga a
mhuintire féin. Anois tá an bheirt againn ag foghlaim Lakota. As leabhar.'

'I ndáiríre?' Bhí iontas ar Rebekka go raibh tionchar ag draíocht an chaifé leata chomh fada sin ó bhaile.

'An bhfeiceann tú anois céard atá i gceist againn le 'Táimid go léir gaolta'?'

Shiúil an bheirt bhan suas an cnoc, taobh le taobh. Ní raibh faitíos ar Rebekka roimh Arlene One Arrow a thuilleadh. Mhothaigh sí ar comhchéim léi, amhail is gur dheirfiúracha iad.

—

Bhí sé i bhfad i ndiaidh meán lae nuair a thosaigh an searmanas i gceart. Chuaigh Alex agus na fir eile isteach ina dteach allais siúd; chuaigh Rebekka, Arlene, an cailín Afra-Mheiriceánach agus beirt bhan gheala ón Ollscoil – Ollamh le Béarla agus oibrí leabharlainne – isteach i dteach allais na mban.

'Mitakuye oyasin,' a dúirt Rebekka agus í ag dul tríd an oscailt ar na ceithre boinn. Bhí sí ag súil le draíocht, le lasracha cosúil le Soilse an Tuaiscirt, leis na freagraí ar cheisteanna móra an tsaoil, ach ní raibh istigh sa phuball ach dorchadas tais. Bhí éadach roinnt de na blaincéid a chlúdaigh an teach allais chomh síonchaite ag an aimsir go raibh boladh bréan uathu.

Shuigh siad i gciorcal: Tempest, an cailín Afra-Mheiriceánach, ar an taobh ó thuaidh den bhealach isteach agus Selma, an tOllamh, agus Jane, an leabharlannaí, níos faide anonn. Shuigh Rebekka idir Jane agus Arlene féin, a bhí ina suí taobh ó dheas den bhealach isteach. Dúnadh an liopa ar bhéal an tí allais ón taobh amuigh agus bhí sé chomh dubh dorcha leis an oíche.

Ach tar éis tamaillín osclaíodh an liopa an athuair agus tháinig an draíocht isteach i bhfoirm fiche is a hocht gcloch chruinn a bhí chomh te sin ón tine chnámh go raibh loinnir oráiste uathu. Duine éigin nach raibh Rebekka in ann a fheiceáil, taobh amuigh, a thug na clocha isteach ina gceann is ina gceann, ag baint úsáide as dhá bheann fia chun na clocha teo a iompar. Lig an duine seo do na clocha titim isteach in dhá bheann fia a bhí á gcoinneáil ina lámha ag Tempest, agus leag sise síos i lár chiorcal na mban iad.

Chaith Arlene luibheanna agus uisce ar na clocha. Líon an teach allais le cumhracht rúndiamhrach agus mhéadaigh an teas go mór. Mhothaigh Rebekka tuirse na mblianta ag fágáil a coirp trína cuid píochán. Casadh amhráin. Dúradh paidreacha, i mBéarla agus i Lakota. Ní dúirt Rebekka paidir riamh ina saol, ach thug sí buíochas d'ollspiorad na Lakota, Wakan-Tanka, agus do na neacha eile ó shaol eile na treibhe, Tunkashila, Seanathair Spéir, Seanmháthair Talamh agus do na Ceithre hAirde, díreach mar a chomhairligh Alex di a dhéanamh roimh thús an tsearmanais. Ghabh sí buíochas freisin le muintir One Arrow as an gcuireadh fanacht sa teach acu agus páirt a ghlacadh sa searmanas.

Timpeall agus timpeall a chuaigh na turais thart faoin gciorcal. Casadh a thuilleadh amhrán, caitheadh tuilleadh luibheanna agus uisce ar na clocha. De réir a chéile ba dheacair an teas a sheasamh. Rinne Rebekka dearmad ar spás agus ar am.

'Is ionann spás na broinne agus spás na cruinne,' a chuala sí Arlene ag rá. 'Sula gcuirimid deireadh leis an searmanas seo ba mhaith liom a thaispeáint dár n-aoi, Rebekka, gur féidir taisteal áit ar bith ar domhan sa spás beannaithe seo. Rebekka, cár mhaith leat dul?'

Bhain an cheist geit aisti. Gan smaoineamh, luaigh sí an chéad áit a rith léi.

'Ba mhaith liom dul go dtí an caifé. An teach caife in Éirinn ina n-oibrím.'

'Go breá,' a dúirt Arlene. 'An-rogha. Ní dóigh liom gur thaistealaíomar go hÉirinn sa teach allais seo cheana.'

Bhuail Arlene dreas ar an druma láimhe a bhí aici agus chas amhrán eile i Lakota. D'fhan Rebekka. Níor tharla tada go ceann i bhfad, ach ansin tháinig mothúchán aisteach chuici. Go deimhin, bhí sí in Aiséirí, thuas ar an tseilf in aice leis an ngléas úd leis an solas gorm a mharaigh cuileoga. Ón áit sin bhí sí in ann an caifé ar fad a fheiceáil. Bhí Aiséirí lán go béal. Bhí Norma-Jean á thógáil go réidh sa chistin, bhí Rory ag pocléim sall agus anall idir an t-inneall *espresso* agus scipéad an airgid. *'Voyage, Voyage'*, an t-amhrán pop Francach úd as na 1980í, a bhí ar an gcóras fuaime aige. Bhí sé ag déanamh seacht seacláid the ag an am céanna. Bhí Naoise ag dul timpeall ar na boird ag tógáil orduithe.

Aimsir na sosanna a bhí ann má bhí Naoise ag obair. Go deimhin, má bhí sé ina iarnóin i Meiriceá bhí tráth na sosanna sa chaifé. D'fhan sí ar an tseilf ar feadh tamaill eile go dtí go raibh a fhios aici go raibh gach rud i gceart. Ansin chuaigh an radharc i ndoiléire. Chas Arlene amhrán eile agus bhí an searmanas thart.

Bhí sé ag dul ó sholas nuair a tháinig siad amach. Ba léir gur chríochnaigh na fir i bhfad roimhe sin: bhí siad ina suí cois tine ag ól cannaí Coca Cola. Chuaigh na mná sa chith, má ba chith í, laistiar de na crann, duine ar dhuine.

Scaoil Rebekka an t-uisce fuar ar a ceann agus ar a colainn. Níor chuimhin léi gur mhothaigh sí chomh glan céanna riamh roimhe. Agus í á triomú féin, tháinig Arlene fad léi.

'Sin teach caife den scoth atá agat thall!'

'Go raibh maith agat.'

'I ndáiríre atáim,' a dúirt Arlene. 'Níl mórán difir idir teach allais agus teach caife nuair a smaoiníonn tú air. Úsáideann an dá theach gal chun comhluadar a thabhairt le chéile, chun spreagadh agus ardú meanman a thabhairt do dhaoine. An t-aon difear ná go n-úsáidimidne clocha agus go bhfuil inneall snasta cróim agus stáin agaibhse.'

Rinne Rebekka gáire.

'Tá an-mheas agam ar dhaoine a oibríonn ina leithéid d'áit,' a dúirt Arlene. 'Breathnaím orthu mar chomhghleacaithe.'

Tháinig íomhá isteach in aigne Rebekka d'fhoireann an chaifé mar dhraoithe agus de Naoise mar ardsagart. Rinne sí gáire léi féin. Ardsagart. Thaithneodh sé sin go mór leis.

'Gabh i leith, Rebekka, seo bronntanas uaimse duitse.'

Thug Arlene beart luibheanna triomaithe di a bhí ceangailte le chéile le snátha d'éadach dubh, dearg, buí agus bán. Bhí dath liathghlas orthu agus bhí cumhracht láidir uathu.

'Go raibh maith agat! Ach céard é féin?'

'Sáiste. Úsáidtear é chun áit nó duine a ghlanadh, ach is leigheas mór ar an gcumha é freisin.'

—

Bhí siad ar an mbóthar i bhfad sular éirigh an ghrian, léarscáil Rand McNally ar a glúine ag Rebekka, Alex taobh thiar de roth stiúrtha a thrucailín. Ní raibh gá ar bith leis an léarscáil – bhí an bealach ar eolas de ghlanmheabhair ag Alex – ach theastaigh ó Rebekka súil a choinneáil ar an dul chun cinn a bhí á dheanamh acu. Bhí 1,348 míle le cur díobh; thógfadh sé ceithre huaire an chloig is fiche orthu tearmann Pine Ridge a bhaint amach.

An oíche tar éis an tsearmanais mhothaigh Rebekka chomh glan agus chomh spioradálta sin gur tháinig fonn damanta uirthi rudaí graosta, gáirsiúla a dhéanamh. Bhí sí féin agus Alex ag siúl ar thailte tréigthe, dorcha Ollscoil Athens tar éis dóibh caife a ól ar Washington Street, nuair a rug sí ar lámha Alex. Bhrúigh sí i gcoinne gas tiubh crainn é agus thug póg fhada, fhliuch dó. Níor thóg sé i bhfad orthu leaba chompordach a dhéanamh ar an bhféar idir na sceacha.

'An bhfuil tú cinnte faoi seo?' a d'fhiafraigh Alex.

'Lánchinnte.'

Leath miongháire ar a haghaidh agus í ag smaoineamh siar ar an oíche sin. Is dócha go raibh a fhios ag Arlene faoinar tharla. Bhí bealach ar leith ag máithreacha i gcónaí intinn a gclann mac a léamh, gan trácht ar mháthair a bhí i dteagmháil rialta le neacha ón saol eile. Ach ba chuma. Thaitin Arlene One Arrow léi agus cheap sí gur thaitin sise léi siúd. Dhéanfadh Arlene máthair chéile mhaith. Bhain sí a súile den léarscáil agus bhreathnaigh ar na comharthaí bóthair.

'Chillicothe,' a dúirt sí. 'Céard a chiallaíonn sé sin?'

Chuir Alex straois air féin.

'"Baile". Ciallaíonn sé sin "baile" i dteanga na Pawnee, an treibh a bhí ina gcónaí in Ohio fadó. Samhlaigh, gach uair dá dtagadh na daoine geala a thóg seilbh ar na tailte seo ar champa de chuid na Pawnee, chuiridís ceist ar na hIndiaigh: "Cén t-ainm atá ar an áit seo?" ag síneadh a méaracha i dtreo na bpuball. "Chillicothe", a déaradh na hIndiaigh. Céard eile a thabharfá ar champa puball ach "baile"? Tá an taobh tíre seo lán Chillicothes.'

Lig sí osna. Tír eile ina raibh brí na logainmneacha dearmadta go deo. Chuirfeadh sé iontas uirthi dá dtuigfeadh mórán de mhuintir Chillicothe an lae inniu cén bhrí a bhain le hainm a mbaile. Níor fhéad luas an trucailín an scéal brónach a bhí á insint ag na comharthaí bóthair a cheilt. Indianapolis. Iowa City. Omaha. Gan fágtha de na treibheanna ar leo an tír seo roimh theacht an duine ghil ach lag-iarrachtaí na gcoilíneach focail dhúchasacha a litriú ina dteanga féin. Idir Omaha agus Sioux City chuaigh an ghrian faoi agus nuair a las na chéad réaltaí d'fhill smaointe Rebekka ar thailte Ollscoil Ohio.

—

Bhí siad ina luí siar, taobh le taobh idir sceacha na hOllscoile, ag breathnú ar spéir oirdheisceart Ohio. D'aimsigh Rebekka An Bodach agus thug póg eile d'Alex.

'Sin Orion, an boghdóir. Sin tusa.'

'An cuimhin leat go ndúirt mé leat tráth gur mhaith liom na réaltaí os cionn tearmann Pine Ridge a thaispeáint duit?'

Ghoin cuimhne na hoíche sin, thiar Tí Monroe, rud beag í.

'Is cuimhin.'

'Ar mhaith leat iad a fheiceáil anois?'

'Ba bhreá liom é.'

Bhí siad cúpla céad míle ó thearmann Pine Ridge go fóill. Bhí an bóthar díreach, fada agus uaigneach. Bhí tamall fada ann ó labhair ceachtar acu ach bhí siad compordach ina dtost. Bhí an spéir os cionn an trucailín breac leis na réaltaí ba ghile a chonaic Rebekka ina saol ar fad, in Éirinn, san Ísiltír nó in áit ar bith eile. D'ísligh sí fuinneog an trucailín le radharc níos fearr a fháil orthu.

'An gcreideann tú go bhfuil an bheirt againn in ainm is a bheith le chéile?'

Bhris glór Alex, domhain agus séimh, an ciúnas. Ach níor bhain a chuid focal siar aisti. Bhí an cheist chéanna ar bharr a teanga féin ó d'fhág siad Ohio.

'Creidim.'

Mhúch Alex ceannsoilse an trucailín. Ní raibh air a mhíniú cén fáth: anois lonraigh na réaltaí os a gcionn níos gile ná riamh. Bhí a fhios ag Rebekka go bhféadfadh sí iarraidh ar Alex na soilse a chasadh air arís, ach ní dhearna. Thuig an bheirt acu céard a bhí á dhéanamh acu: bhí siad ag fiafraí den saol eile, ar an gcosmas, an dtiocfaidís slán le chéile. Scinn an trucailín ar aghaidh tríd an dorchadas, tríd an gciúnas agus tríd an uaigneas, go dtí gur ghealaigh bun na spéire taobh thiar díobh: líne thanaí dhóchais, líne thanaí chorcardhearg a d'fhreagair a gceist.

Ach le gealadh an lae nocht fírinne gharbh shaol an tearmainn timpeall orthu. Bhí na tailte le taobh an bhóthair breac le creatlacha charranna dóite, fothraigh tithe, buidéil agus brionglóidí briste.

'Táimid ann,' a dúirt Alex. 'Pine Ridge.'

Go tobann, stop sé an trucailín taobh amuigh d'fhothrach tí a sheas leis féin i lár na ndrochthailte. Ní raibh díon air a thuilleadh agus ní raibh ach cuid de na ballaí ina seasamh. Murar thine a scrios an teach an chéad lá riamh, bhí an chuma air go raibh an áit in úsáid rialta ag daoine chun tinte cnámh a lasadh ann. Bhí cannaí beorach agus smionagar gloine ar fud na háite.

'Seo an teach inar rugadh mé.'

Bhreathnaigh Rebekka ar fhothrach an tí, ar Alex, ar an talamh aimrid máguaird. Bhí gadhar ag tafann áit éigin, sa chóngar. Tharraing sí anáil dhomhain, bhailigh gach uile unsa fuinnimh a bhí inti.

'Alex, is féidir linn an áit seo a chur ina ceart. Cuirfimid caoi ar an teach
seo. Déanfaimid teach caife as. Caifé don tearmann. Caifé dúchasach!
Foghlaimeoimid an teanga. Beidh biachlár dátheangach againn!
Déanfaimid bonnóga don tearmann ar fad! Cuirfimid tús le réabhlóid!'

Sheas Alex in aice léi, chuir a lámha timpeall uirthi agus d'fháisc
chuige í.
'Caithfidh tú éirí as seo uair éigin. Ná bac le cathanna daoine eile a
throid. Taobh istigh, ionat féin, a chaithfidh an réabhlóid tarlú.
Taobh istigh, ionatsa, Rebekka Vogelzang.'

D'ardaigh sí a lámha agus sheas siar uaidh. An é nár theastaigh
uaidh troid ar son cearta na Lakota lena taobh?

Chroith Alex a cheann.

'Is duine lách, mórchroíoch thú agus is mór an misneach atá agat.
Ach ní éireoidh leat muintir an tearmainn seo, a dteanga ná a gcuid
traidisiún a shábháil le bonnóga. Caithfidh na daoine seo a gcath
féin a throid. Caithfidh tusa do chath féin a throid. Péintéir thú.
Ach cén t-achar ó rinne tú péinteáil?'

D'oscail sí a béal ach níor tháinig fuaim ar bith amach.

'Rud luachmhar í an chruthaíocht, ach tá sí contúirteach. Mura
n-aimsíonn tú bealach amach di, líonfaidh sí tú go dtí go
bpléascfaidh do chroí. Má roghnaíonn tú mise, roghnaigh duit féin
ar dtús. Ní do theach caife Naoise, ní don Ghaeilge, ná do mhuintir
an tearmainn seo. Roghnaigh duit féin, Rebekka, agus do do scuab.'

D'oscail an talamh faoina cosa. Thug sí léim chun tosaigh, isteach i
mbaclainn Alex, sula dtitfeadh sí sa duibheagán.

D'fhoghlaim Rebekka ó Alex gur chreid na Lakota nach raibh a leithéid de rud ann agus drochlá. Cinnte, bhí laethanta ann a raibh an chuma ar chúrsaí go raibh fórsaí an tsaoil ar fad i do choinne; laethanta a raibh an spéir féin ina luí go trom ar an domhan, ach fós, níor dhrochlaethanta iad sin. De réir na Lakota, bhí laethanta gorma agus laethanta dearga ann. Lá gorm, bhí tú ag imeacht le haer an tsaoil, ní raibh scamall sa spéir; níos fearr fós, d'fhéadfá a bheith in eitleán, go hard os cionn na gclabhtaí, ag breathnú ar ghathanna órga na gréine ag fágáil slán ag an domhan thíos fút.

Ach d'fhéadfadh an chéad lá eile a bheith ina lá dearg. Lá scamallach, mar shampla, lá nach raibh bus díreach ar bith ar fáil ó Aerfort na Sionna go Gaillimh, go raibh ort bus lán páistí scoile a thógáil go hInis agus fanacht ar bhus eile a thabharfadh go Gaillimh tú, áit a raibh ort siúl tríd an mbáisteach le mála mór ar do dhroim, caol díreach isteach go dtí an obair. Thabharfadh daoine eile Dé Luain air seo; rinne Rebekka a seacht ndícheall 'lá dearg' a thabhairt air.

Bhrúigh sí doras Aiséirí ar oscailt, leag uaithi an mála droma agus d'ardaigh na ribí fliucha gruaige as na súile.

'Tá mé ar ais!'

Bhí an caifé folamh diomaite de Naoise, a bhí ina shuí, ceann faoi, ag bord a cúig agus Norma-Jean, a bhí ina seasamh i mbéal na cistine. Chuir Norma-Jean a méar ar a beola, ach níor thug Rebekka aon aird ar an rabhadh.

'Céard atá ar siúl anseo? Tórramh?'

Leath súile Norma-Jean de gheit ach bhí a fhios ag Rebekka nach bhféadfadh rud ar bith a bheith chomh dona sin go dtógfadh Naoise amach uirthi-se é. Chuaigh sí fad leis.

'Céard atá cearr?' a d'fhiafraigh sí, ar bhealach chomh séimh is a bhí sí in ann. Déanta na fírinne, ní raibh sí ag iarraidh a bheith i nGaillimh ar chor ar bith. Theastaigh uaithi a bheith ar ais in Athens, Ohio, ar thearmann Pine Ridge, nó áit ar bith eile a mbeadh Alex lena taobh. Go deimhin, ba é sin an plean a bhí aici: airgead a shábháil agus dul ar ais go Meiriceá dá luaithe agus ab fhéidir é. Ach ba léir nárbh é seo an t-am é sin a insint do Naoise.

'Seo,' a dúirt Naoise. D'ardaigh sé clúdach litreach donn a raibh cláirseach bheag dhubh clóite ina lar. Bhain sé litir amach as.

'Suigh síos,' a dúirt sé.

Rinne sí mar a d'iarr Naoise uirthi. Bhí cuma níos sine agus níos caite ná riamh air. Ar ndóigh, bhí sé tar éis a bheith ag obair seacht lá na seachtaine le mí anuas, ach bhí níos mó i gceist ná sin. Chonaic sí fear roimpi nach raibh an fuinneamh ann níos mó snámh in aghaidh easa.

'Is dócha go bhfuil a fhios agatsa níos fearr ná aon duine eile atá ag obair anseo gur ar éigean a dhéanann an áit seo dóthain airgid chun mise, sibhse agus na billí a íoc.'

Níor fhreagair Rebekka. Chuimhnigh sí ar na huaireanta ar fad a raibh ar Naoise í a íoc ar an Luan, ar an Máirt, nó pé lá eile a raibh dóthain i scipéad an airgid chun í a íoc, in ionad ar an Aoine. Chuimhnigh sí ar na tráthnónta samhraidh ar sheas sí féin agus Naoise nó pé duine a bhí ag obair léi ag breathnú ar chaifé folamh agus ar shráid bhánaithe, ag dul as a gcranna cumhachta le leadrán, sásta rud ar bith a dhéanamh, damhsa báistí fiú amháin, a thabharfadh custaiméirí isteach. Ach cheap sí i gcónaí gur chúitigh am lóin agus oícheanta dorcha an fhómhair agus an gheimhridh an lagtrá.

'Litir ón bhfear cánach atá anseo. Tá gar do dheich míle d'fhiacha orm.'

D'ardaigh Rebekka a súile chun na bhFlaitheas.

'Cá mhéad ama atá luaite chun teacht ar an airgead sin?'

'Mí. Mura n-íocfaidh mé ar 31 Iúil glacfaidh siad seilbh ar an gcaifé.'

Smaoinigh sí air sin ar feadh soicind. Ní raibh sí rómhaith ag an matamaitic riamh ach níor thóg sé i bhfad uirthi a oibriú amach go mbeadh orthu thart ar dhá oiread cupán caife a dhíol in aghaidh an lae. Ba bheag nár phléasc sí ag gáire le teann éadóchais: cén chaoi a ndúblóidís an gnó thar oíche?

Bhreathnaigh Naoise uirthi mar a bhreathnódh páiste ar mháthair. Ach cá mhéad uaireanta ar tháinig Naoise i gcabhair uirthi-se, mar a bheadh athair ann? Ansin chuimhnigh sí ar na scéalta a d'insíodh a hathair féin le linn dinnéir faoina chuid oibre.

'Téigh suas go dtí an oifig chánach. Beidh tú in ann socrú eigin a dhéanamh leo. Abair leo go bhféadfá leath an airgid a thabhairt dóibh ag deireadh na míosa seo agus ansin an chuid eile a roinnt thar tréimhse. Beidh ús i gceist, ar ndóigh, ach ní dhúnfaidh siad an áit. Beidh sé sin níos fearr dóibhsean chomh maith. Ní fiú tada dóibh caifé dúnta; déanfaidh siad airgead ar chaifé atá ag feidhmiú.'

'Is cosúil go bhfuil fios do ghnó agatsa.'

'Abraimis go bhfuil sé seo i mo chuid fola. I gcoinne mo thola, dála an scéil.'

D'éirigh sí, d'oscail a mála droma agus thosaigh ag póirseáil. Ag bun a mála a d'aimsigh sí é: an beart sáiste a thug Arlene One Arrow di. Bhí sí chun é a shábháil go dtí nach mbeadh sí in ann don chumha i ndiaidh Alex a thuilleadh, ach más luibh a bhí sa sáiste a d'fhéadfaí a úsáid chun áit a ghlanadh go spioradálta, ní raibh áit agus am níos fearr chun é a dhó ná anois díreach.

'Norma-Jean, an bhfuil lastán agat?'

'Tá, ambaist.'

Bhí lastán ag Norma-Jean i gcónaí. Mhair sí ar thoitíní. Las Rebekka an sáiste. Tar éis tamaillín líon an caifé le cumhracht mhilis na luibhe. Mhothaigh sí an t-atmaisféar ag athrú nach mór ar an bpointe. Thuirling suaimhneas agus síocháin ar an áit.

Bhí Naoise fós ina shuí ag an mbord, ag stánadh ar an litir, amhail is go raibh súil aige go n-athródh na focail a bhí clóite ar an bpáipéar dá mbreathnódh sé orthu sách fada. Chroith sí an sáiste faoina shrón.

'A Naoise, cén mhoill atá ort? Cuir ort do chulaith is fearr agus téigh suas ann. Tabharfaidh mise agus Norma-Jean aire do chúrsaí anseo.'

Bhí go leor le déanamh acu. Chuir siad glas ar an doras agus d'ísligh an dallóg le nach gcuirfí isteach orthu. Fad a dhóigh an sáiste chuir siad glaoch ar gach uile dhuine a raibh aithne acu orthu agus dúirt leo sin glaoch ar a gcairde ar fad. Ansin chuir Rebekka glaoch ar na soláthraithe agus rinne sí an t-ordú ba mhó dá ndearna sí riamh. Nuair a bhí cadhnraí a bhfón póca ídithe d'ardaigh Norma-Jean an dallóg an athuair agus chuir muileann na bpónairí ag meilt. Chuaigh Rebekka féin isteach sa chistin chun anraith a chur ar siúl a bheathódh campa teifeach san Afraic. Ní raibh sé ina mheán lae fós nuair a thosaigh na sluaite ag teacht isteach, imní ina súile agus an cheist chéanna ar bheola gach duine: 'An bhfuil sé fíor? An bhfuil sé fíor go bhfuil Aiséirí i mbaol a dhúnta?'

Chuir Norma-Jean agus Rebekka an dreach ba thromchúisí orthu.

'Tá, mura dtiocfaidh feabhas mór ar chúrsaí. Ach is féidir an áit a shábháil fós. Scaipigí an scéal!'

Tháinig Naoise ar ais go gairid tar éis am lóin. Ní raibh sé ag breathnú rómhaith. Ach nuair a chonaic sé an slua ollmhór a bhí istigh tháinig cuma ní b'fhearr air.

'A chailíní! Céard sa diabhal a tharla? Ná habair liom gurb é an deatach draíochta sin is cúis leis seo?'

Rinne Rebekka gáire rúndiamhrach léi féin agus í ag bailiú plátaí salacha ó na boird.

Ach ag an gcuntar, ní raibh am ag Norma-Jean gáire ar bith a dhéanamh.

'A Naoise, isteach leat go beo ag ní na ngréithre. Níl cupán ná gloine ná fochupán féin fágtha agam.'

'Tá go breá, Norma-Jean. Cogar, fuair mé drochscéal. Ní bhfuair mé síneadh ama ar bith. Ach má leanann cúrsaí ar aghaidh mar atá anois… Níor chuimhnigh mé ar líon na gcairde atá ag an gcaifé!'

'Má leanann cúrsaí ar aghaidh mar atá anois,' a dúirt Norma-Jean, 'beidh círéib ann mura bhfaighfidh mé gloiní glana go beo. Tá ocht nduine dhéag ag fanacht ar dheochanna agus níl fiú cupáin chartúis agam a thuilleadh.'

—

An oíche sin, tar éis di labhairt ar an bhfón le Alex ar feadh níos mó
ná uair an chloig, bhí Rebekka ina luí ar a leaba, spíonta, atlas Rand
McNally lena taobh. D'fhuaimnigh sí na logainmneacha ab aistí a
d'aimsigh sí di féin mar a bheadh focail dhraíochta iontu, focail
dhraíochta a réiteodh an cheist a bhí ag teacht idir í agus codladh na
hoíche: an bhféadfadh sí Aiséirí a fhágáil ag an am ba mhó a raibh a
cabhair ag teastáil ón gcaifé agus ó Naoise? Ceart go leor, d'éirigh léi
féin agus Norma-Jean na sluaite a mhealladh inniu, ach an
dtiocfaidís arís amárach agus arú amárach? Má bhí Aiséirí le teacht
slán bheadh orthu an teacht isteach a dhúbailt.

Dá mhéid a smaoinigh sí ar an gceist, ba léir nach bhfaighfeadh sí
codladh ar bith. Bheadh sé chomh maith aici éirí agus rud éigin
fiúntach a dhéanamh. Tharraing sí a cuid éadaí uirthi. Bhí sé
ceathrú chun a dó ar maidin nuair a bhain sí Aiséirí amach agus bhí
Rory agus Liam díreach ar tí an caifé a dhúnadh.

'Is féidir libh dul abhaile, fanfaidh mise anseo.'

Stop Rory ag scuabadh an urláir.

'Céard atá i gceist agat?'

'Beimid oscailte ceithre huair an chloig fichead in aghaidh an lae as
seo amach, seacht lá na seachtaine. Déanfaidh mé na leasuithe sa
sceideal amárach.'

Chuaigh sí fad leis an inneall agus rinne muga le sé steall *espresso* di féin.

An mhaidin dár gcionn, bhí Naoise ag breathnú ar na leabhair ag
ceann de na boird.

'Féach ar an méid a rinneamar inné! Cén fáth nár smaoinigh mé féin ar oscailt i gcaitheamh na hoíche?'

Bhí cuma thraochta air i gcónaí, ach b'ionann é agus duine a shnámhfadh in aghaidh easa tamaillín eile chun an t-uisce socair taobh thuas den eas a bhaint amach. Bhí Rebekka in amhras an mbainfeadh sí féin deireadh a seal oibre amach. Bhí an sceideal leasaithe aici, ach in ainneoin gur oibrigh sí tríd an oíche bheadh uirthi féin leanúint ar aghaidh ag obair go dtí a sé an tráthnóna sin. Mar bharr ar an mí-ádh bhí tuirse aerthurais dhamanta uirthi. Shuigh sí síos trasna ó Naoise.

'Ar ndóigh ní leor é,' a dúirt seisean. 'Ní leor lá amháin, atá i gceist agam. Beidh orainn coinneáil orainn ag troid lá i ndiaidh lae. Ach ar a laghad níl an cath caillte. Oibreoidh mé féin oícheanta freisin. Éireoidh linn. Rebekka, tá mé an-, an-bhuíoch díot. Is féidir liom brath ortsa i gcónaí.'

'Naoise…'

'Céard?'

Níor éirigh léi na focail a bhí ar bharr a teanga a fhuaimniú. Ina ionad, dúirt sí an chéad rud eile a rith léi.

'An mbeidh cupán caife agat?'

—

Maidin Luain chiúin an chéad sheachtain de Mhí Lúnasa bhí Naoise agus Rebekka ina suí i gcathaoireacha amuigh ar gach taobh den doras. Bhí sé ró-dheas le fanacht istigh.

'Samhlaigh go mbeadh ort culaith a chaitheamh lá mar seo,' a dúirt Naoise, ag breathnú ar thriúr fear i gcultacha liatha a tháinig amach as carr ar an taobh eile den tsráid. Bhí glas slabhra ina lámh ag duine de na fir. Bhí gruaig agus croiméal rua ar dhuine eile acu. Ach an fear ard sin, tiománaí an chairr, mheabhraigh sé duine éigin do Rebekka lena chulaith, a ghruaig ghearr agus a mhála dubh leathair. Cé a chuir sé i gcuimhne di? A hathair?

Thrasnaigh an fear ard an tsráid agus lean an bheirt eile é. Stad siad os comhair Naoise agus Rebekka.

'Naoise Mac Giolla Easpaig, úinéir na háite seo. An bhfuil sé thart?'

D'éirigh Naoise óna chathaoir. Fós, bhí air a cheann a chlaonadh siar le féachaint sna súile ar an bhfear ard.

'Hugh Masterson, Sirriam na gCoimisinéirí Ioncaim.'

D'éirigh Rebekka agus sheas in aice le Naoise.

'Táimid anseo chun seilbh a ghlacadh ar an maoin seo. Tugadh go dtí an 31ú lá den mhí seo caite duit chun an tsuim a bhí dlite a íoc.'

'Ach tá sé íoctha. Thug mé deich seic iardhátaithe de mhíle euro an ceann daoibh, mar a bhí socraithe.'

'Dhiúltaigh an banc don cheann deireanach.'

Chuir Naoise a lámh trína chuid gruaige.

'Is oth liom é sin a chloisteáil, ach d'fhéadfadh sé sin tarlú....Téann go leor airgid amach as an gcuntas in aon iarraidh amháin ag deireadh na míosa. Is féidir liom seic eile a scríobh daoibh anois díreach.'

'Ní ábhar magaidh é seo. Nílimid chun aon seic eile a ghlacadh uait.'

Bhreathnaigh Naoise thar a ghualainn, ar a chaifé, ar an mbeagán custaiméirí a bhí istigh – teaghlach turasóirí ón bhFrainc – agus ar Rebekka. D'fhan sise ina seasamh ag an doras, reoite. Bhain Naoise a sparán as póca cúil a chuid jíons. Bhí nóta amháin de fiche euro istigh ann. Chuaigh sé isteach sa chaifé.

Dhíreoigh cosa Rebekka agus lean sí isteach é. Bhuail a gualainn i gcoinne gualainn an fhir rua. Bhí an fear eile, fear an ghlais, ag útamáil leis an doras cheana féin. Ag an gcuntar, sheas sí in aice le Naoise. Chomhairigh siad an t-airgead sa scipéad: céad agus a hocht euro déag agus fiche cúig cent. Bhí an fear ard ag bord na bhFrancach, ag rá leo go raibh orthu an caifé a fhágáil.

'Móide an fiche euro i mo phóca, sin céad tríocha hocht euro agus fiche cúig cent. Fágann sé sin ocht gcéad seasca haon euro agus seachtó cúig cent.' Bhí a bheola ar crith.

'Rebekka, an bhfuil aon airgead…. '

D'oscail sí a sparán. Bhí sé folamh. Ach ansin bhuail smaoineamh í.

'Na boinn! Na boinn!'

Chuaigh sí isteach san ionad stórála faoi staighre na gcomharsan agus thóg an bosca cartúis leis na málaí bainc amach, iad ar fad lán de bhoinn. D'fholmhaigh sí an bosca ar urlár na cistine. Shuigh sí féin agus Naoise síos in aice le carn na málaí, á gcomhaireamh.

'Fiche mála le boinn fiche cent,' a dúirt Rebekka. 'Ceithre chéad euro.'

'Sé mhála déag le boinn deich cent,' a dúirt Naoise. 'Trí chéad agus fiche euro.'

'Fiche naoi mála le boinn chúig cent,' a dúirt Rebekka. 'Céad ceathracha cúig.'

'Cá mhéad é sin uilig le chéile?'

'Ocht gcéad… seasca is a cúig! Ocht gcéad seasca is a cúig!'

Chaith siad na málaí ar fad ar ais sa bhosca cartúis. Bhain Naoise an nóta fiche euro amach as a sparán agus chaith isteach é. Ag scipéad an airgid, chomhairigh Rebekka amach céad agus a cúig déag euro. D'fhág sé sin trí euro fiche cúig de shóinseáil. Bhí súil aici go mbeadh airgead beag ag an gcéad chustaiméir eile. Thug an bheirt acu an bosca chomh fada leis na fir ó na Coimisinéirí Ioncaim.

'Míle euro. Comhairigí amach é, má theastaíonn uaibh,' a dúirt Rebekka. D'fheicfeadh a hathair féin an greann, ach bhí an chuma ar an Sirriam agus a chomhghleacaithe nach raibh acmhainn grinn iontu.

'Airgead is ea airgead,' a dúirt sí.

'Ní féidir libh airgead tirim a dhiúltú,' a dúirt Naoise.

Bhreathnaigh an Sirriam ar an mbosca.

'Déanfaidh mé cupán caife an duine daoibh mar chúiteamh,' a dúirt Rebekka.

Thosaigh an triúr fear ag comhaireamh.

Nuair a d'fhág na fir faoi dheireadh, ní raibh fágtha sa chaifé ach Naoise agus Rebekka féin. Bhí siad ag breathnú ar na cathaoireacha folmha, na cupáin chaife leathólta agus na muifíní leathite ar na boird.

'Chuir siad an ruaig ar na custaiméirí…' a dúirt Rebekka.

'D'fhéadfadh cúrsaí a bheith níos measa. Ar a laghad níl glas ar an doras, a bhuíochas sin duitse.'

Chuir sí strainc uirthi féin.

'A Naoise, caithfidh mé rud éigin a rá leat.'

Dúirt sí a raibh le rá aici. Thuirling ciúnas aisteach ar an gcaifé, ach ansin d'fháisc Naoise chuige í.

'Comhghairdeas. Fuair tú fear breá sa deireadh thiar thall. Tá sé tuillte agat.'

'Níl tú ar buile liom?'

'Cén fáth a mbeinn? Cá mhéad duine a tháinig agus a d'imigh anseo anuas tríd na blianta? Scór? Scór go leith? Dhá scór? An cuimhin leatsa?'

'Ní cuimhin,' a dúirt sí. 'Ach tá súil agam go gcuimhneoidh tú ormsa nuair a bheidh mé imithe.'

'A thaisce, ní dhéanfaidh mé dearmad ortsa go deo.'

Lá geimhridh a bhí ann, lá gorm, sa chiall Lakota chomh maith leis an gciall litriúil: ní raibh scamall sa spéir. Bhí an mhaidin díreach cosúil leis an maidin úd níos mó ná ceithre bliana roimhe sin, nuair a rinne Rebekka a céad lá oibre in Aiséirí. Ag an bhfuinneog di, ag baint súmóga beaga as caife bán réamhoibre traidisiúnta, sheiceáil sí a mála láimhe uair amháin eile. Is ea, bhí siad ann, an víosa gealltanais ina pas agus ticéad singil go Columbus, Ohio.

Bhí an t-eitleán ag fágáil na Sionna go mall san oíche. Bheadh uirthi an oíche a chaitheamh in aerfort Heathrow, áit a bhfágfadh a heitilt go Chicago roimh éirí na gréine. Trí huaire an chloig in O'Hare ansin agus uair an chloig go leith eile go Columbus. Bheadh sé ina oíche arís sula mbeadh sí in Athens. Ach ní ar an aistear fada a bhí roimpi a bhí sí ag smaoineamh; bhí a cuid smaointe dírithe ar an obair. Bhí a hainm féin curtha síos sa sceideal aici do sheal iomlán ar a lá deireanach sa tír.

Bhreathnaigh sí timpeall. Bhí cuma chomh síochánta ar an gcaifé i gcónaí an t-am seo den mhaidin, gan ach dornán custaiméirí istigh. Tháinig cumha uirthi nuair a chonaic sí lógó an chaifé ar cheann de na biachláir; an cupán caife leis an ngal ag éirí aníos as agus an focal 'Aiséirí' scríofa idir na néalta. Chuimhnigh sí ar na sceitimíní áthais a bhí uirthi nuair a fuair sí an post: caifé dátheangach, roth beag amháin in athbheochan na Gaeilge. Agus bhí sise, Rebekka Vogelzang, reibiliúnach gan chúis, chomh sásta go raibh a cúis aimsithe aici sa deireadh thiar thall.

Chaith sí siar a raibh fágtha dá caife bán. Ní raibh sí ach sé bliana is fiche ag an am. Bhí sí óg, soineanta agus eachtrannach. Shíl sí go n-athródh ealaín pobail nósanna teanga, go bhféadfaí réabhlóid a chothú i dteach caife. Níor tharla an réabhlóid sin riamh. Bhí an ceart ag Alex. Thiocfadh le duine oiread bonnóga a dhéanamh agus a theastaigh uait ach dá fheabhas iad ní shábhálfadh cácaí milse, *espresso*, ná fiú píosaí graifítí, teanga. In aigne mhuintir na hÉireann féin, ina nduine is ina nduine, a chaithfeadh an réabhlóid sin tarlú, má bhí sí le tarlú ar chor ar bith. Thóg Rebekka an biachlár agus chuir isteach ina mála láimhe go sciobtha é. Ní fhaca duine ar bith í. Bhí an t-anraith le scríobh síos ar an gclár dubh go fóill: Anraith Mheacan Bán le Cáis Dheataithe. Litreacha móra grástúla, den uair dheireanach. Le gach rud dá ndearna sí mhothaigh sí go raibh cuid bheag di féin á hadhlacadh aici. Ba mhaith an rud é go raibh Naoise ag obair lena taobh an lá ar fad, agus gur tháinig Rory isteach go speisialta chun an tráthnóna a oibriú ina teannta. A bhuíochas dá chuid popcheoil siúd níor iompaigh an tráthnóna ina thórramh.

Ach bhí a fhios ag na custaiméirí rialta ar fad go raibh sí ag imeacht. Tháinig a bhformhór isteach chun slán a fhágáil léi: Mártan, June, na déagóirí ó Choláiste Iognáid, Péter, Dorothea agus go leor, leor eile. Tháinig Cóilín Mac Néill, fiú amháin. Bhí oiread daoine ag teacht isteach fána coinne go raibh uirthi malartú le Rory agus a áit siúd ag an inneall *espresso* a thógáil. Ach sula ndeachaigh Rory isteach sa chistin d'athraigh sé an ceol. Líon glór Joni Mitchell an caifé; smaointeach gan a bheith maoithneach. Thaitin sé sin léi. Bhreathnaigh sí ar an gclog. Níos lú ná leathuair an chloig fágtha.

Ansin, chonaic sí scáil ag teacht isteach an doras, taibhse bhán. Ní fhéadfadh sé a bheith fíor! Ní ar a lá deireanach ag an obair! Ní agus an caifé dubh le daoine, carn mór soithí sa doirteal, gan tuáille tae glan san áit agus Rory sa chistin ina bhróga leathair nathrach, gan chlúdach ar a ghruaig agus leathphunt de mhiotal ina shrón, a bheola agus a chluasa.

Clic, cleaic, clic, cleaic, na sála arda ar an urlár, go dtí go raibh an scáil ag an gcuntar. Ach cá raibh a clár nótaí?

'Cá bhfuil do chlár nótaí?'

D'fhéadfadh Rebekka buille a thabhairt di féin. Cén fáth nár smaoinigh sí riamh sular oscail sí a béal? Níor bhean i Clíona Savage ar thaitin ceisteanna léi, gan trácht ar shearbhas. Ach rinne an t-oifigeach sláinte comhshaoil gáire – rud a d'fhág cuma aisteach, saghas leanbaí ar a haghaidh.

'Rebekka, níl mé anseo chun cigireacht a dhéanamh. Tá a fhios agam go bhfuil mo chóta bán orm, ach tá mé críochnaithe don lá. Níl ann ach gur chuala mé go bhfuil tú ag imeacht. Theastaigh uaim slán a rá leat.'

'Chuir tú an croí trasna orm,' a dúirt Rebekka. Bhí deora ag priocadh taobh thiar dá súile.

'Tá brón orm. Níl ann ach gur theastaigh uaim a rá leat gur thugamar an dea-obair ar fad atá déanta agat don áit seo faoi deara.' Tharraing an t-oifigeach sláinte comhshaoil anáil dhomhain. 'Tá rud eile ann. Theastaigh uaim buíochas pearsanta a ghabháil leat as an spreagadh a thug tú dom.'

'Spreagadh?'

'Thosaigh mé ag foghlaim na Gaeilge. Dúirt mé liom féin: más féidir le bean as an Ísiltír Gaeilge a fhoghlaim, is féidir liomsa teanga mo thíre a fhoghlaim freisin.'

Chaill Rebekka an cath i gcoinne na ndeor. Tháinig sí anall ón taobh thiar den chuntar, d'fháisc Clíona chuici go teann agus d'fhág slán aici. Ansin thosaigh Joni Mitchell ar a hamhrán deireanach.

The last time I saw Richard was Detroit in '68
And he told me:
All romantics meet the same fate some day, cynical and drunk and
boring someone in some dark café...

Mhothaigh Rebekka amhail is gur oscail an talamh faoina cosa. Ar feadh ceithre bliana, nárbh ise *someone* an amhráin, an freastalaí caifé a chuir suas go foighneach le scéalta leadránacha an tsaoil mhóir? Anois bhuail sé idir an dá shúil í go mbeadh uirthi an líne rúndiamhrach úd a scar oibrithe caifé ón gcuid eile den chine daonna, a thrasnú an athuair gan mhoill – sa treo eile. Mura raibh sí cúramach, bheadh sí féin cosúil le duine de na daoine rómánsúla in amhrán Joni Mitchell roimh i bhfad, í ar meisce, ag insint scéil a saoil theipthe do fhreastalaí bocht i gcaifé ar an taobh eile den Atlantach. D'fhéadfadh sé tarlú go heasca: bhí sí tríocha bliain d'aois agus, i ndáiríre, ní raibh mórán déanta aici. Na céadta míle cupán caife, b'in an méid. Agus mura n-éireodh léi post a fháil i Meiriceá?

Tháinig Naoise anall chuici.

'Tá do thacsaí taobh amuigh.'

Bhreathnaigh sí ar an gcaifé teolaí, mhothaigh teas an innill *espresso* ar a craiceann. Mhothaigh sí sa bhaile mar a mhothaíonn páiste sa bhroinn.

'Naoise, ní féidir liom é seo a dhéanamh. Ní féidir liom an áit seo a fhágáil. Tá eagla orm. Tá eagla orm roimh gach rud.'

'Rebekka, cuimhnigh ar an méid atá curtha díot agat le míonna anuas. Cuimhnigh ar an gcrá croí ar fad a bhain leis an víosa gealltanais a fháil. Anois tá sé agat! Tá do shaol ar fad romhat!'

'Ní féidir liom é a dhéanamh. Ní féidir liom é a dhéanamh liom féin.'

'Más mar sin é, déanfaimid le chéile é.'

Chuir Naoise a lámh trí lámh Rebekka, mar a dhéanfadh athair agus é ag tabhairt a hiníne chun na haltóra lá a bainise. Céim ar chéim shiúil siad anall ón gcuntar. Ar an urlár, sheas an slua custaiméirí rialta, comhghleacaithe agus iar-chomhghleacaithe a bhí bailithe le chéile ansin i leataobh dóibh, ag déanamh slí mar a bheadh i séipéal. Labhair Naoise ina cluas de chogar.

'Beidh tú togha. Beidh mise togha. Beidh an caifé togha.'

'An ngeallann tú sin dom?'

'Geallaim.'

Bhí siad ag deireadh an phasáiste anois, ag an doras, ag an líne idir an caifé agus an chuid eile dá saol.

'Beidh tú togha.'

D'fháisc sí Naoise chuici go teann. Tar éis tamaill fhada scaoil sí a greim agus chuir céim amach thar an tairseach. Ansin, nuair nár oscail an talamh fúithi, thóg sí céim eile agus shuigh isteach sa tacsaí. Chas rothaí an tacsaí ar shráid an chaifé, chas rothaí an bhus ar an mbóthar go dtí an tSionainn agus chas rothaí an eitleáin ar an rúidbhealach. Bhí sí saor, chomh saor le leanbh a bhí díreach tar éis teacht ar an saol, chomh saor leis na héin a thug a sloinne di. Bhí a smaointe ar a cuid scuab agus a cuid péinte i mbolg an eitleáin. Ba mhaith an rud é nár thug sí do shiopa Naomh Uinsionn de Pól iad, i ndeireadh an lae.

Donnacha — also.—

Liam   (; ngric le D)
Rory   ("   ")

→ Jennifer
→ Aisling